JN024277

生なるコモンズ

共有可能性の世界

濱田陽
Hamada Yo

Living Commons, Our World

春秋社

内のうちへ

ある子どもがゴザを敷いた。

地面に直接すわるより落ち着く。青い空が天井だ。敷きものの上で脚を伸ばすと、足首から先が地面に出てしまう。それもなぜか、ほほえましい。

何をして遊ぼう。そう考えたかと思えば、行く雲をながめている。ひらひら舞う蝶も、飛ぶ鳥の群れも目に入る。なんの変哲もなかった場が、なじみのところに変わった。空飛ぶじゅうたんを持たなくても、ゴザは、自分のこころのおもむくまま持ち歩き、好きなところに広げられる。その上で、世界中の好きな場所を空想できる。

ゴザは人(ひと)が自然界から素材を得てつくったものだ。ほしいと、こころが思わなければ現れなかった。なぜ、そう、人は思えるのだろう。ああいう形の、機能のものがあれば、気持ちよく過ごせると思いつくのだろう。自発的に携え、この世界になじみをつくれる何かを。

人はゴザのようなものを生み出す想像力をもっている。

広大な世界に自分の居場所をつくる。家の中よりもプライバシーは限られるが、気軽に雲や生きもの、人とふれあう。遊び仲間や見知らぬ子がやってきて、そこに座る。かくれんぼも、土を丸めるだんご遊びも、危険なところへの冒険も、ゴザでの会話から始まる。いつの間にか、ゴザはみんなの居場所だ。

自らの内に、雲、蝶、友、ゴザそのものなど、他なる存在の内が重なる。内のうちへ。そこから何かが始まる。

本書のテーマは共有可能性だ。一般にシェアの意味で用いられることの多い共有の語を、深化、拡張し、持続可能性のような普遍的な通用性をもつ概念（コンセプト）へと昇華させたい。サブタイトル「共有可能性の世界」は、共有可能性が開く世界、を意味している。共有可能性という運命的な様相から見えてくる、新たな人間観と世界像を提示したい。

本書は、人文学の危機の時代に、その意義を再認識するニュアンスを大切にしている。地球環境問題、ＡＩやゲノム編集などの新テクノロジー、パンデミック等によって存在そのもののイメージ、観念がゆらぎ続けている。このゆらぎに向き合い、人としての存在そのものを問い直し、五つの存在——自然、生きもの、人、つくられたもの、人知を超えるもの——との関係性を問う、人文学の新たな可能性を探求したい。

宗教、貨幣、国家などの装いで制度化された虚構（フィクション）の影響力を当たり前として、人の文化、文明を観るのとは異なるアプローチで、計算過程(アルゴリズム)と非アルゴリズムにゆらぐ人の存在に基層を置き、現実に立ち上がる共有可能性の想像力、様相をとらえ、素描(デッサン)していく。

タイトルに掲げる「生(せい)なるコモンズ」は、この共有可能性の想像力によって、わたしたち人と五つの存在との関係性に、その都度生じては、変化し、消えては、また生じる、多様な可能性を帯びた共有領域を表現する。

本書は、二部構成になっている。

「Ⅰ　共有可能性と人」では、ＡＩ・ロボット・生命の工学というべき新テクノロジーの急激な発展により加速する人間観の分断状況を分析し（第一章）、ヒューマニズム、テクノロジー、宗教文化伝統において、人の存在とは何かを、あらためて問い、それぞれの人間観の仮説性を認めることで、広義の科学、哲学、技術、宗教を分断しない思索を試みた哲学者・西田幾多郎の思考との出会いを果たす（第二章）。

その上で、わたしたちに立ち現れる、動く関係性、存在と世界、働きと反応、自らと他、共有領域の様相をとらえながら、共有領域に見出されうる、限定的で開放的な関係可能性に着目し、共有可能性と名づける（第三章）。

そして、自然、生きもの、人、つくられたもの、人知を超えるものとの関係性を探求した空海（第四章）、今を生きる知の実践としての儒の学（第五章）、協同組合（コオペラティブ）の構想による社会事業を次々に展開した賀川豊彦（第六章）の具体例から、共有可能性の想像力を考察する。

「Ⅱ　生なるコモンズと共有文化、共有文明」では、現代文明に特徴的に見られる共有可能性の危機について、さらなる分析を進める（第七章）。

この危機に対応しうる人文学的地平を求め、存在を、五つの存在として受けとめる視座から、人による文化、文明を新たに定義し、持続可能性と共有可能性の密接な関わりを明確に示して、共有可能性領域としての生なるコモンズを主題化する（第八章）。

この洞察によって、共有文化の創出と発見（第九章）、共有宗教文化（第十章）を考察し、共有文明、さらに知のワクチンとしての共有軸のアウトラインを描く（第十一章）。

生なるコモンズを見出す共有権を、所有権世界の矛盾を解決するための新たな権利として提示する（第十二章）。

共有可能性のような根源的なテーマは、ひとりの研究者の手に負えるものではない。人間観の変容にともなって、すでに部分的には姿を現し、これから本格的に立ち上がる広大な研究領域に、多くの人びとと共に参画していく希望をもちながら、開かれた概念に挑戦し、わたしたちの居場所を見出していくきっかけを求めたい。

生なるコモンズ

共有可能性の世界

目次

I 共有可能性と人

II　生なるコモンズと共有文化、共有文明……143

第八章　持続可能性と共有可能性から、生なるコモンズへ……173

凡例

一、引用文について

外国語文献からの引用で本文に訳者名の記載がないものについては、原文の形式・意味・ニュアンスを重んじ、複数の訳語が可能な場合には文脈に適した言葉を選び、原著から筆者が日本語に訳出している。既存の日本語訳を参照した文献は、「参考文献」に記載している。

・フランス語文献からの日本語への訳出には、英語版も参照している。

・イタリア語文献からの日本語への訳出は、Emanuele Davide Giglio 氏との共訳である。原著がイタリア語である場合には、英語版から引用する際にも、日本語への訳出について原著も参照し、その内容理解に同氏の協力を得ている。

二、サブタイトルについて

「共有可能性」については、John LoBreglio 氏の協力により英語で the possibility of “commons” と表現している。

生なるコモンズ——共有可能性の世界

I 共有可能性と人

Living Commons, Our World

第一章
新テクノロジーによる人間観の分断

一　ヒューマニズムの人間観がゆらぐ

人工知能と合成生物学

新たなテクノロジーは、人の存在に対するわたしたちの見方をどのように変えていきつつあるのだろうか。

わたしたちは、何から何までを認知することはできない。インターネットにも、どれほど集めても、集めきれない、分析できない情報が山のように積み重なっていく。

「計算し、問題を解き、結論にいたるために使用できる、ステップの秩序立ったセット」(Yuval Noah Harari（ユヴァル・ノア・ハラリ), *Homo Deus: A Brief History of Tomorrow*（ホモ・デウス

——明日の概略史）, 2016, p.83）として、現在も進展を続けているアルゴリズムという考え方を、とらえておこう。

人工知能（アーティフィシャル・インテリジェンス）（AI：artificial intelligence）は、人のかわりに様々なデータから、対象の特徴を表す変数として、特徴量（フィーチャー）（feature）の値を見出す。認知に基づく知的労働が人工知能に置き換えられつつあるとして、ユートピアからシンギュラリティ、ディストピアまで様々な未来像が予測されている。

また、合成生物学（シンセティック・バイオロジー）（synthetic biology）は生命をかたちづくる一セットの全遺伝情報であるゲノムをコンピュータ上で設計し、それによって合成、改変されたDNAをもつ生物をつくろうとする。

アルゴリズムとデータを駆使するこれら新テクノロジーの登場によって、逆に、人自身がアルゴリズムとデータの流れとしてとらえられる、人間観の転換が生じてくる。人の感覚、情動、欲望も、自然選択を経てきたアルゴリズムとデータの流れとしてとらえられ、現代科学で研究が進められていく。

ヒューマニズムの人間観

この新たな人間観に対して、そうではない、ということはいかにして可能だろう。人間観は人の存在自体、生命観は生きものとしての存在の内容、意味に関わり、両者は密接に関係している。

人の生命はかけがえのないもので、不可逆的に進む時間の、ある一点から始まりある一点で終わるとして、その一度きりの人生が個人としての尊厳をもち、他に譲り渡すことのできない権利をもつ。そうした存在として人を考えてみよう。人の生涯がどこから始まり、どこで終わるかについて、また、なぜ個人が尊厳や人権を有するのかについても、様々な立場や説明がある。けれども、始まりと終わりがいつにせよ、尊厳と人権を有する理由が何にせよ、きちんと一貫した人生をもち、個人は尊厳と人権を有し、そういう存在だからこそ、その人ならではの、こころの内奥の感情がある。

これが近代社会の基盤をかたちづくる人間主義（ヒューマニズム）(humanism) の、一般的な人間観となってきた。

ヒューマニズムは、複雑な歴史的背景をもつが、近代化のプロセスをへて、多くの社会で公共の通念や制度の支えとなっている、人の存在を尊重する思想潮流であるといえよう。近代化は西洋文明の摂取でもあったため、わたしたちのヒューマニズム理解には、ルネサンスや宗教改革の後に花開いた西洋啓蒙思想の印象が強い。

実際には、近代西洋の制度や思想は、南北アメリカ、ユーラシア、オセアニア、アフリカ、各島嶼地域など、きわめて多様な相互交流によって、受容され、反発も生んできた。近代西洋文化のインパクトを受ける前から、人の存在を重んじる思想は、それぞれの文化にあったが、その上に、近代西洋の制度や思想を内面化していった。たとえば、日本でも、仏教や儒教、また、民俗学が明らかにしてきた民間信仰に、人間性を尊ぶ思想はあり、だからこそ、近代西洋の思想を独自に吸収できた。

世界的にも、史的にも、多様なヒューマニズムが展開してきたといえる。さらには、中国の朱子学が、百科全書派のヴォルテールをはじめ多くのフランスの思想家に伝わり、激烈な宗教対立を抑止し、人間性を重視する思想として影響を与えたという史観もある（後藤末雄『中国思想のフランス西漸（せいぜん）』１・２、一九六九年〔初刊一九三三年〕）。

だが、ここでは、近代化の影響力に着目し、西洋啓蒙主義以降の人間理解を共通の認識として、話を進めよう。個人の尊厳と人権は、神などの超越的権威の濫用によって侵されてはならない社会通念として、日本を含む近代化の洗礼を受けて発展してきた国々で根づいている。少なくとも、神や仏などを直截（ちょくせつ）的な裏付けとして持ち出さないことから、宗教文化伝統より、科学とも抵触しないと考えられてきた。

しかし、この通念は科学的に実証された真理ではない。ゆえにアルゴリズムやデータを中心にした新テクノロジーの人間観は、近代社会の基礎となってきた人間観をゆさぶる。

現代に生きる人びとの多くは、ヒューマニズムの人間観を支持しているかもしれない。しかし、それを単純に信じているからではない。一人ひとりが社会のなかで尊重し合って生きていくための、様々な制度やルールづくりの上で重要な役割を果たしていると思うからだ。

本当に人の存在がそういうものかについては、話は別だ。

この人間観が、一人ひとりの人が尊重し合える社会をつくるための経験や知恵として働くのではなく、多くの人の思考をストップさせてしまうステレオタイプにとどまってしまうなら、弊害も生じてくる。

かつてないテクノロジーの波が押し寄せ、人の存在に影響を及ぼしている。近代世俗社会の主流的立場として、ヒューマニズムの人間観は、一人ひとりを大切にしている。この前提が大きなチャレンジを受けている。

使い分けられる信念

　わたしたちは信念の使い分けをしている。一方でヒューマニズムの人間観を法律や制度によって保ち、それらを前提としたルールの下で社会生活を営みながら、他方で、この人間観を信じないような毎日を送ってもいる。

　あるときは神や仏などの人知を超えるものを信じ、またあるときは、自分や家族、友人、専門家といった人を信じる。そして、スマートフォン、ＡＩのような新しいテクノロジーを信じる。そして、同じことが不信にも当てはまる。神や仏を疑い、人を疑い、テクノロジーを疑い……。

　こうした臨機応変の、無自覚でやみくもな使い分けは、いつか限界に達してしまわないだろうか。

　無宗教でも、どの宗教の信徒も、多くに当てはまるのは信念の使い分けだ。わたしたちは神仏、人、新テクノロジーの間で信じることと疑うことの間を行き来している。それは、あまりにも当たり前で意識されることが少ない。

　そこでこのような疑問が芽生える。人はどれを一番信じているのだろうか。

この三つの領域は混じり合いもするかのようだ。神仏と人、人と新テクノロジー、新テクノロジーと神仏。こうして、わたしたちの信念はゆれ動き、ブレンドされ、自身にも見分けがつきにくいものになっていく。

信念はものごとを判断するよりどころだ。はたして、わたしたちの多くは、人の存在をアルゴリズムとデータの流れとして受け入れるようになっていくのだろうか。

そんなことはない、と内心の声は告げるかもしれない。けれども、人工知能や合成生物学は人の存在をそのように見て、次々に研究成果を挙げている。わたしたちが自らをアルゴリズムとデータの流れとみなさずとも、人を取り巻く新たな科学や技術がそうとらえ、適用範囲は急激に拡大している。

人工知能は人の認知能力に挑戦し、合成生物学は生きものの存在のあり方に根源的なインパクトを及ぼす潜在力を手にしている。どちらの分野でも、人も生きものも究極的にはアルゴリズムとデータの流れが中核にあるという発想で研究、開発が進められている。研究開発競争の最前線にいながら、この発想にとらわれないでいることは難しく、こうした知的奔流に対峙することは困難にみえる。

一方で、圧倒的に優秀な頭脳と莫大な予算を注ぎ込んで進められる科学技術のプロジェクトがあり、他方で、たった一人たたずむ、普通のわたしたちがいる。

データベース万能世界

わたしたちの日頃の行為すべてが瞬時にデータ化され、行為データベースが構築されている。また、人の生きものとしての生体活動である脳波、脈拍、血圧、その他もすべてリアルタイムでデータ化され、生体データベースができていく。それにともない推定されるこころの動き、内面の言語化されたつぶやきと、非言語的なイメージ、思いのすべても瞬時にデータ化され、こころのデータベースが構築されているとする。

この仮想的なデータベース万能世界に比べれば、今日の状況は、わたしたちの行為、生体情報、こころの動きのまだほんの一部がデータ化されているにすぎない。しかし、流れは加速している。そして、わたしたちのデータを含んだデータ世界の総体がインターネット、ビッグデータ、クラウドなどのかたちで増幅されていく（トーマス・フリードマン『遅刻してくれてありがとう――常識が通じない時代の生き方』伏見威蕃訳、二〇一八年〔原著二〇一六年〕）。新テクノロジーは自然、生きもの、人、つくられたもののあらゆる対象についてデータ化、自動化を推し進めることを理想としているかのようだ。

だが、わたしたちは、何についてはデータ化、自動化を受け入れ、何については受け入れられないのか。データ化、自動化によって生じる意味や価値を判断するのは、人かＡＩか。人は自らが感じ、認知し、判断することをこれからも大事と考えていくのだろうか。

二　新テクノロジーの人間観と宗教文化伝統の人間観

新テクノロジーの人間観

先に述べたヒューマニズムの人間観に対して、新テクノロジーの人間観はどのようにまとめられるだろう。ヒューマニズムの人間観は、数々の啓蒙思想が彫琢し、人権的憲法とそれに基づく法律、制度、社会的コンセンサスのなかに溶け込んでいる。これに対し、新テクノロジーの人間観は、激烈な競争を繰り広げている科学者、技術者が先導し、インターネットやスマートフォン、その他の最先端テクノロジーを通じてわたしたちに浸透してくる。

ヒューマニズムの人間観をベースにした場合、次の問いが持ち上がる。

まず、ひとりの人は、一つの一貫した人生を送っているのか。それがあってこそ、どこから、ひとりの人が始まってどこで終わるのかという問いも生じてくる。また、個人は尊厳や人権をもつのか。内奥にかけがえのない感性や声をもつのか。それがあってこそ文化的、経済的、政治的選択、学習・趣味、消費行動、投票行動等において、決定的な自由を有するといえるのだが。

新テクノロジーの人間観はヒューマニズムの基盤となっている人間観とどう異なっているのか。

超知能（スーパーインテリジェンス）が登場すれば、そのような汎用ＡＩは人の制御を受けなくなると懸念されている（ニック・ボストロム『スーパーインテリジェンス――超絶ＡＩと人類の命運』倉骨彰訳、二〇一七年〔原著二〇一四年〕）。人に代わってＡＩ自身が独特な人間観を形成するようになるかもしれない。しかし、その前に、新テクノロジーの人間観が、主導的な科学者、技術者、教育者、メディア関係者、政治家など、人自身の手によって浸透していく状況を考えてみよう。

もし、人の存在をアルゴリズムとデータの流れととらえるなら、それは始まりと終わりがある一貫した何かといえるだろうか。また、尊厳や人権を有し、かけがえのない何かがそこにあるといえるだろうか。

テクノロジーであるアルゴリズムをつくるにはプログラマーがいる。その意味で、人工知能や合成生物の生みの親はプログラマーや研究者である。アルゴリズム自体はヴァージョンアップされることで、幾度も世代を重ねていく。

そこで、新テクノロジーを支持する立場はこう主張するかもしれない。

人という存在は、どの時点からか、たとえば母と父から受け継いで自らのゲノムが定まったときから、複数のアルゴリズムが作動し、外界の様々なデータを処理しながら活動を始める。このような存在が尊厳をもつかどうかは、はっきりしないが、どの程度、希少性、独自性、特殊性があるかを考えることは可能だろう。まず、起点となるＤＮＡ配列の希少性、それから、同じ配列でも遺伝子発現そのものの有無によって後成（エピジェネティック）的に生体が受ける変化の独自性、生体活動の間に遭遇する外界との接触経験の特殊性など。しかし、これらはアルゴリズムでありデータである限りにおいて改変、複製が可能である。

ヒューマニズムの人間観では、どこから自分の人生が始まり、どこで終わるのかに見解の相違はあっても、ひとりの人生の一貫性、その尊厳、こころや感受性のかけがえのなさなどが大前提である。それに対し、新テクノロジーの人間観では、これらは前提とはならない。人の存在は、まさにアルゴリズムとデータの流れなのだ。

アルゴリズムは何度もヴァージョン変更、複製が可能である。また、デジタルデータの本体はすべて0と1の符号であり、それらが対象と結びつくことによって情報となる。情報は01符号と対象の結びつきである。01符号だけでは情報にならないが、この符号は容易に複製でき、それとともに、結びついていた対象の情報も複製される。

人の存在をアルゴリズムとデータの流れとしてとらえるなら、人はどこからでもヴァージョンアップと複製可能という前提を暗に受け入れていることになるだろう。

ヒューマニズムと新テクノロジーの対立

ヒューマニズムの人間観と新テクノロジーの人間観とはヴァージョンアップ、複製の可否と尊厳性の存否で対立している。

ヴァージョンアップについて、アルゴリズムの改変は何度でも行えるが、人の人生、たとえば教育などをアルゴリズムのヴァージョンアップとみなすことはできないだろう。なぜなら、一度、誤った教育をしてしまえば、その人の人生にとりかえしのつかない影響を与えるおそれがあるからだ。ヒューマニズムの人間観は、個人を複製可能な存在とはみなしてこなかった。個人の尊厳という基盤がゆらぎ、内奥のこころや感受性の尊さも、それに基づく文化的、政治的、経済的判断の正当性もぐらついてくるためだ。

人が、かけがえのない存在であるなら、その生は代替がきかないものの活動、死は代替がきかないものの消滅であろう。しかし、新テクノロジーでは、人の生は、代替がきくものの展開という発想を内包することになる。死は、代替がきくものの消去となり、代替がきく以上、それは完全な消滅ではない。本当の死は、すべての関連アルゴリズムおよびデータの削除ということになるだろうか。ところが、一度つくられたアルゴリズム、データは再構築が可能である場合が多い。

これら二つの人間観を同時にもつなら、場面によって使い分け、人の存在自体を分けて、こころはヒューマニズムで、脳は新テクノロジーで、と了解していくことになるのだろうか。人はかけがえのない存在であるが、ヴァージョン変更可能であり、人の死はかけがえのないものの消滅であるが、複製がきくところもあるというように。

宗教文化伝統の人間観

　ここで宗教文化伝統の人間観について考えてみよう。視界を広げ、人間観を比較するには一定のシンプル化が必要になる。各宗教文化伝統には、きわめて複雑で内容豊かな違いがあり、それらを踏まえようとするなら膨大になるが、共通と思われるものに着目し、ヒューマニズムの人間観と比較する方法がある。

　人の生のはじまりと終わりである死について、宗教文化伝統は多様なとらえ方をしている。一度生まれて、一度死に、その後、復活して永遠に生きる。何度も、生と死をくりかえす等々。しかし、死んで消滅し、それで終わり、と説く宗教はほとんど見当たらないのではないか。

　ヒューマニズムの人間観では、死んだら終わりで、無になる。人の存在を成り立たせていた有機物も、やがて分解されて無機物になるとする考えが主流であろう。あるいは不可知の話題として一人ひとりの信念に任せてよしとする。そのような認識は近代以降の生物学的、医学的知識に依拠している。

　この考えから、人の存在と生が、かけがえのない、という発想が出てくることもある。しかしまた、死んだら終わりなのだから、生には意味がないという発想も生じてくる。人とその生のかけがえのなさを維持するには前者に目を向け、後者に目をつぶらなければならない。

死んだら終わりとする考えには、少なくとも死ぬまでは一貫した生が展開しているという発想がともなっている。逆にいえば、一貫した生が終わった以上、それはすべてが終わったということになる。

なぜ、宗教文化伝統の人間観では、死んだら終わりと考えないのだろう。そこには、目に見えない存在、魂やこころといったものが消滅しないという信念がある。また、神や仏のような人知を超えるものの力を信じようとする想いもあるだろう。

死んだら終わりでないと考えるなら、個人のかけがえのなさとの関係はどうだろうか。人の存在は死んでも終わらないのだから特別な意味があるという、ヒューマニズムの人間観とは逆の発想が生まれる。同時に、今回の生は特別なものではないという考えも生じてくる。そこで、今の生は唯一無二ではないが人の存在そのものには深い意味があるとする、別の理由づけが必要になってくる。

死んですべてが終わるという考え方も、終わりでないという考え方も、それだけでは人の存在のかけがえのなさについて確実な論拠にはなり得ない。いずれも同時に派生する正反対の考えに目をつぶるか、別の説明をもってこなければならないからだ。

だが、宗教文化伝統は人の存在のかけがえのなさの理由を説くことに、多大な関心を傾けてきた。輪廻転生のように、人は、他の生きものに生まれ変わることもありうるのだから人として生きている今こそが大事である、この機会を良い行いをすることに生かさなければならないという教えが説かれたりする。

また、宗教文化伝統の人間観は、一貫した一つの生というヒューマニズムに主流の考え方とは異なった発想で、人の生をところどころ断絶を含んだものとしてとらえてもいる。神や仏など人知を超えるものとの関係性を想定し、人だけを自らの人生の主人公とはしていない。

宗教文化伝統の人間観を、次のようにまとめることができるだろう。

人の生はただ一貫したものではなく、人知を超えるものとの関係で、度々、根本的に変わることがある。その変容はときには生物学的な生と死より重要ともみなされ、死んでも終わりではない。人は、しかるべき理由で尊さをもっている。

これに対し、ヒューマニズムの人間観は、人は尊いから尊い、尊いから人であるというように、それ以上の理由を問わない同語反復（トートロジー）を用いることが多い。それは、様々な立場で考え、導き出された理由を、お互いを傷つけないかぎり尊重し合うためでもあるだろう。ただ、そのことが、理由を問う必要はない、理由なしにこの前提を受け入れねばならないとする思想圧力になれば、逆の効果を生じさせてしまう。

いずれにせよ、宗教文化伝統もヒューマニズムも、人の存在を尊いとしている。

三つの人間観

宗教文化伝統、ヒューマニズム、新テクノロジーのそれぞれの人間観を吟味し、何らかの共存をはかれるだろうか。

人間観の分断を避けるには大胆に立ち入った考察が必要だ。

ヒューマニズムの人間観を、社会に生きる多くの人びとは法律、制度の根幹をなすものとして受け入れている。過去の様々な悲劇をふまえ、人と人の間のルールの基盤として重要な知恵とみなされている。しかし、個人が生きるための信念や哲学として十分といえるだろうか。新テクノロジーが無視できないものとなっている今日、宗教文化伝統の人間観が装いを新たに見直されてくることはあるだろうか。

ヒューマニズムの人間観は、ルールを築くためのフィクションとしての性格が強く、そこに証明や根拠がとぼしい。現実には、ルールの拘束力が及ばないところで人の尊厳が軽んじられる出来事が日常的に生じ、人びとのこころの動きや行いも、理想とは程遠いと感じてしまうことが少なくない。

ヒューマニズムの人間観を基に、一人ひとりが尊重される社会をつくり、維持していくことは大切だ。しかし、それが生きる信念として十分かはまた別だろう。現実とのギャップが生じてくる。表向きは一人ひとり尊重するとしながら抜け穴がつくられ、形骸化が進んでしまう。

新テクノロジーの人間観をたんに否定し、ヒューマニズムの人間観を唱えるだけでは展望は見えてこない。人はアルゴリズムとデータの流れではない、一貫した一度きりの人生を生きているかけがえのない存在であると主張しても、内心にその信念がなければ、こころもとない。

ここに数千年の宗教文化伝統の人間観が浮上してくる。近代化の過程では、ヒューマニズムは、宗教文化伝統と、とくに人間観、生命観について対立的側面が極立つように見えたかもしれない。しかし、これからは、いずれも人の尊厳を認めているという親和的側面がクローズアップされてくるのではないか。

新テクノロジーがヒューマニズムの人間観を突き崩していくばかりでは、人の存在の形骸化がますます進んでしまう。このような状況だからこそ、宗教文化伝統の人間観、生命観は未来性を帯びてくるのかもしれない。

三　AI・ロボット・生命の工学

アルゴリズム的人間観、生命観の拡大

新テクノロジーは、ヒューマニズムと、たしからしさを競う。そして、最先端の科学・技術によって、自らの優位性を、近代の科学・技術に依拠してきたはずのヒューマニズムに印象づける。

それだけではない。ヒューマニズムの人間観、生命観に現代人が物足りなさを感じる間隙(かんげき)を縫(ぬ)って、新テクノロジーに依った人間観、生命観が効いてくる。科学的・技術的先進性に加え、人の孤独感にうったえる浸透性が、ヒューマニズムの足元を崩していく要因になっている。新テクノロジーの生命観は、宗教文化伝統のそれにも一見、よく似たところがある。

ヒューマニズムの生命観では、ある一点で始まった一個の一貫した生命が、あるところで終わる。このシンプルでわかりやすいイメージは、実際に生きる人にとっては重荷にもなる。たしかに、一貫しているようにも思えるが、すべて変わらぬわたしが人生を担わなければならな

いとしたら、それは大変な重圧だ。しかも、生きものとしての生命が終わった後、何もないのだとしたら、自らの身体を構成する物質が自然に戻るとしても、それを想像している自分自身がなくなることに思い及び、愕然(がくぜん)とするだろう。

しかし、新テクノロジーの生命観は、この重圧と戦慄を、少なくとも部分的には取り除いてくれる。人がアルゴリズムとデータの流れであるかどうかということは、とりあえず置いておこう。それより、もし、一貫したわたしという重圧が緩和され、死によってすべてが終焉する見通しへの戦慄が少しでもやわらげられるのなら、そういう何かを受け入れたい心理が働いてくる。

近代以前に先人が築いてきた多様な宗教文化伝統の人間観、生命観にアクセスする機会がないなら、こころに軽さと安心を与えてくれるのは、新テクノロジーということになるだろう。これは何かの拠りどころが欲しいという心理的傾向であって、科学的認識ではない。

ヒューマニズム、新テクノロジー、宗教文化伝統の三領域が対話なく隔てられたまま、新テクノロジーによる世界の激変が進行している。

わたしたちは人、つくられたもの、人知を超えるものをどのように受けとめて生きていけばよいのか。日常生活のなかで、これらの関係性がときほぐしがたく、からみ合っている。

宗教者や各専門家も揺らいでいる。思考範囲を自らの専門領域に限っていれば、ある程度たしかなことが言えるかもしれない。しかし、現代社会に生き、新テクノロジーの影響を受けている点で、一般の人と変わらない。

人の尊さの基盤がくずれる

新テクノロジーの人間観、生命観の一番の問題は、やはり、アルゴリズムとデータの流れとみなすことで人の存在の尊さの基盤をゆるがしてしまうことだろう。この思想潮流は、自由主義国で基本法となっている憲法や、世界人権宣言を支える価値観を突き崩してしまう潜在力をもっている。

人の存在をアルゴリズムとデータの流れとみなした上で、尊いという価値を保持しようとするなら、自然、生きものを広大なアルゴリズムとデータの流れとし、人はその中で特別尊いと考えることになるのだろうか。そこからさらに人同士、それぞれに尊いと基礎づけることができるだろうか。わたしたちは、アルゴリズムもデータも何かの目的に照らしてどれほど役立つかで優劣を判断する習慣がついてしまっている。

しかも、アルゴリズムとデータは、通常、それ自身の複製が可能で、そういうものを、それぞれに尊いと考えることには無理があるだろう。

もちろん、人の存在をアルゴリズムとデータの流れとみなしたからといって、すぐに人の複製技術が実現、認可され、普及するわけではない。だが、そういう発想に部分的に根拠を与えうる研究成果が出現し、そこから逆に、このような人間観に拠って、次々と新たな研究が進められていることも事実である。しかも、十分な科学的根拠なしに、この人間観が暗黙のうちに浸透しつつある。

現代人の多くがアカウント名などで自らの分身としてのアバターを簡単につくり、用いている。元来、神の権化、化身を意味するサンスクリット語、アヴァターラから派生したこの言葉は、同名映画の世界的ヒットもあって、一般化した。

わたしたちは、日々、自らの活動がデジタルデータとして蓄積されていることを知っている。スマートフォン、タブレット、パソコンのすべての操作、インターネットのアクセス履歴、Ｗｅｂサイトや電子書籍の閲覧記録、ＳＮＳでの投稿・閲覧。クレジット・カードやスマートフォンを用いた買い物の支払い記録、交通機関の利用、学校や職場での入退室。防犯カメラでの画像記録、スマートフォンを通じて伝わる位置情報や移動記録。健康診断、病院の通院カルテ、こころの健康診断。

デジタルデータとして記録される対象領域は爆発的に拡大し、深まりこそすれ、しぼむことはない。

もちろんこうしたデータは、わたしたちの実際の行動あってのものだ。ただ、誰もが経験していることだが、しだいに行動よりも記録の方が自分自身の生活に影響を及ぼしてくる。匿名でないデータは自分の信用や評価につながり、匿名のそれも自分のアイデンティティの一部になっていく。

こうして、自分という存在に欠かせないデータの流れがともなった生活を営んでいる。たしかにまだアルゴリズムとしての自分を体験してはいないかもしれない。しかし、自らを取りまく様々なアルゴリズムが、ターゲット広告の仕組みなどを通じて働くとき、それらが居心地の悪い分身であるかのような気分におそわれる。日々、アルゴリズムとデータの流れとしての領域が拡大していっている。

このような日常経験は、現代人が自覚せずに、自らを含めた人の存在をアルゴリズムとデータの流れとみなす習慣を涵養している。

一人ひとりの人の存在が、人工知能によってとらえられ、認知、分析されるとき、わたしたちは、つい、それを、その人の根本的属性とみなしてしまうかもしれない。

これまでにも、人種、国籍、学歴、職歴、病歴、犯罪歴、そして、容姿、家柄、出身地などによる差別、人権侵害がなされてきた。だが、日々、積み上がる膨大な個人データがその人の属性とみなされ、個人の尊厳の思想が、新テクノロジーに依拠する人間観、生命観によって根底からゆさぶられるとき、個人が人として尊重されない、より深刻な状況が現出し、人権という観念そのものが弱体化、はては喪失してしまうおそれがある。

わたしたちは、自分のデジタルデータがこれからの活動に不利益をもたらさないよう活動履歴を気にする。自分でも修正しようとするが、日常的に入手、分析、変更しえない関連データは国、大企業などに膨大に蓄積され続けている。

個人の尊厳や人権の考えを優先させるなら、他者を傷つけない限り、自分のデジタルデータすべてについて、自らの存在の一部として尊重されるべきという発想が導かれる。尊厳をもつ個人の延長としてのデータという考え方だ。把握しきれていないデータにも最大限プライバシーが保護されるべきとする倫理観に立って、それを保障するための技術が求められてくる。

しかし、人の存在をアルゴリズムとデータの流れとみるなら、この関係は逆転してしまう。人は生まれながらに尊いとする価値観が基本法や様々な法律、社会制度に反映されてはいる。

だが、胎児の頃から瞬時にデジタル化される、あらゆる関連データが蓄積され、それらを分析するアルゴリズムが次々に待ち構えている。家庭、民間、公的組織で、データ活用が増えていく。こうした生活習慣が当たり前になれば、デジタルデータの取得、分析、それによる判断の一つひとつが、はたして、人を尊重する扱いになっているのかも、判別し難くなっていく。ある人を理解するには、あらゆるデータと指標を集め総合判断することが有効とされるが、判断基準は、理解しようとする側に都合の良いものが選ばれやすい。そこに偏向（バイアス）がしのびこむ。膨大な過去データが、常に自分以外の、より権威、権力をもった組織、人の手にゆだねられ、自分に干渉し、人生を左右するようになる。以前は評価されたデータであっても、政治状況などの変化によってマイナスに転じることも日常となるだろう。

パンデミックによるＡＩ・ロボット・生命の工学の加速

新型コロナウイルスのパンデミック以降、人工知能（ＡＩ）研究、ロボット工学、生命工学と、人の関係を洞察しなければならない事態がさらに逼迫することとなった。ＡＩによる医学論文解釈、人の役割を代替するアンドロイド（人型ロボット）、ｍＲＮＡワクチンなど、新テクノロジー分野の研究、開発が一気に加速した。新たな、全世界規模の感染症によって、新テクノロジーがヒューマニズム、宗教文化伝統に及ぼす影響を、正面から考慮しなければならない緊急性が高まった。

ヒューマニズム、新テクノロジー、宗教は、それぞれ、人、（人によって）つくられたもの、人知を超えるものの存在に主たる関心を注ぐが、ヒューマニズムはつくられたもの、人知を超えるもの、そして、新テクノロジーは人、人知を超えるもの、宗教は人、つくられたものにも独自のスタンスで関わっている。

そこで、これらの共存の条件を検討し、その上で、人、つくられたもの、人知を超えるものの関係性を考える必要がある。

しかし、人の存在をアルゴリズムとデータの流れとみなす思考が、ＡＩ研究、ロボット工学、生命工学のいずれにおいても働いている。

ゲノム編集を究極まで推し進め、人の存在を、ＡＴＧＣの塩基がつながるＤＮＡを素材として出来ているアルゴリズムとデータの流れとみなすなら、人とアンドロイドの違いは、有機物か無機物かの違いにすぎない、という発想も生じてくる。ＡＩ研究、ロボット工学、生命工学は、その学問の性格上、人の存在をアルゴリズム・データととらえ、工学的に研究し、研究対象に作為を加え、操作、制御する立場をやめることはない。

そこで、人間観について似通った特徴を見せるＡＩ研究、ロボット工学、生命工学をまとめて、ＡＩ・ロボット・生命の工学と呼んでおこう。

パンデミックに対処、対抗するため、ＡＩによる感染拡大予測、人と人の接触を避けるためのロボットの活用、新ワクチンと新薬の開発など、新テクノロジーはいたるところで求められる。

わたしたちは、新型ウイルスを制御するために、ウイルスの感染先たる人そのものを制御する必要に迫られる。人の生物的、心理的、社会的側面をアルゴリズム・データとしてとらえ、新型ウイルスに対抗する研究、開発が進展していく。

パンデミックは、人の生命、心理、社会にダメージを、政治、経済、科学、芸術などの分野にショックを与えるのみならず、人間観自体を揺さぶり、新テクノロジーの加速を通じてアルゴリズム的人間観をじわじわと浸透させる。

新型ウイルスに対抗する発想を究極的に推し進めれば、特定ウイルスに感染しないようヒトゲノムを編集し、さらには、人体をＡＩアンドロイドへと置き換えることを肯定的にとらえる思想や実践が支持を集めていくだろう。

そこまで至らずとも、新型ウイルス制御のため、人の存在をあらゆるレベルで制御する必要に迫られるジレンマに、わたしたちは陥っている。

ホモ・デウス――単線史観

宗教文化伝統の人間観は、ヒューマニズムによる個人の尊厳の人間観、新テクノロジーのアルゴリズム的人間観に対し、人を可能性とともに、煩悩や罪といった自力では克服困難な負の側面をもかかえた存在として、とらえる特徴を有している。

二〇～一〇万年のホモ・サピエンス史を俯瞰(ふかん)した歴史学者ユヴァル・ノア・ハラリは、著書 *Homo Deus*（ホモ・デウス, 2016　日本語版『ホモ・デウス――テクノロジーとサピエンスの未来』柴田裕之訳、二〇一八年）で、AIや合成生物学などの新テクノロジーの隆盛により、ヒューマニズムの人間観がゆさぶられてアルゴリズム的人間観が浸透し、病や老いを克服して、人(ホモ)（Homo）が神(デウス)（Deus）のようにふるまうホモ・デウスをめざすエリート層が台頭、大多数が無用階級(ユースレス・クラス)（useless class）化すると予測した。その前段として、宗教文化伝統がヒューマニズムによって主役の座を奪われたとし、今日、そのヒューマニズムが新テクノロジーによって席巻されつつあると分析する。ハラリ自身はこのディストピアを望まず、回避にはアルゴリズム的人間観に代わる人間観が不可欠と問題提起している。しかし、結論で彼は処方箋としての新たな人間観を提示していない。

ハラリの警告をパンデミック下に当てはめれば、新開発ワクチンや新薬をいち早く入手できる社会層と感染の危機にさらされ続ける社会層との二極化の懸念も、その兆候の一つとみなしえよう。二極化を許していけば、ヒューマニズムと宗教文化伝統は、新テクノロジーの恩恵を受けられないこころの間隙を埋める補完的立場にすぎない、と格下げされてしまいかねない。

しかし、アルゴリズム的人間観は、十分な観察、実験、シミュレーションの検証を経た科学的事実なのだろうか。あくまで仮説にとどまり、限定的にのみ意味を持ち続けるものではないか。それならば、異なる人間観の共存が重要な課題となり、ヒューマニズムも宗教文化伝統も、重要な思考、行為のかたちであり続けていくのではないか。

ホモ・レリギオ——樹形史観

ホモ・サピエンスのマクロ・ヒストリーを、その虚構（フィクション）を生み出す能力に着目し、太い単線史観で描き出したハラリとは対照的に、宗教文化伝統、ヒューマニズム、新テクノロジーを樹形図のイメージと特徴を援用した、樹形史観によってとらえる展望に立ってみよう。

宗教、人間性への関心、広義の技術（テクノロジー）は、人の歴史において、姿かたちを変えつつ、樹全体に伸びる複数の幹のように影響を及ぼしてきており、新テクノロジーが登場しても、それぞれ枝と葉を広げていく、という光景が浮かび上がってくる。

神の人ホモ・デウスとは、叡智の人ホモ・サピエンスの次に来るであろう人の存在について、ハラリがアイロニーを込めて用いた表現である。ホモ・サピエンスが自らを神のような存在にアップデートしようと試みるが、その多くが現在の位置から脱落し無用階級となるおそれがあるとする。

これに対し、宗教の人ホモ・レリギオ（Homo Religio）とすれば、ホモ・デウスの論点のみに引きずられず、ホモ・サピエンスにとって、人知を超えるものの領域がいぜん大きな意味をもち続けており、その意義は十分に汲みつくされていないという含意を表現できる。これはあくまでハラリのホモ・デウスとの対照を示すためで、世界的宗教学者ミルチャ・エリアーデ等による宗教的人間ホモ・レリギオースス（Homo Religiosus）の議論を意識したものではない。

じつは、ハラリも、ヒューマニズムを人間主義者の宗教（ヒューマニスト・レリジョン）（humanist religion）、新テクノロジーへの信念（ビリーフ）（belief）を新テクノ宗教（ニューテクノ・レリジョンズ）（new-techno religions）と呼び、宗教を超人間的な秩序への信念およびそれに基づく規範の体系としてとらえている。個人の尊厳は科学的に実証されてきたわけではない信念であり、ヒューマニズムはこの信念に基づく規範の体系であって、その意味で一種の宗教であると彼は解釈する。そして、その信念が新テクノロジーによって別の信念に置き換えられつつあると鳥瞰（ちょうかん）する。

つまり、きわめて広い意味での宗教が、人の存在にとっては、つきものであることを暗に認めているともいえる。

レリギオはラテン語で、人知を超えるものとの再び（re）の結びつき（ligio）を意味する。そこから、英語の宗教（religion）という言葉も生じた。人知を超えるものは人の能力でとらえられないが、不思議なことに、人はこの存在にこだわり続けながら、文化、文明を築いてきている。自らが神になるかどうか、また、人知を超えるものを神や仏とみなすかどうかは別として、そのこだわりは、わたしたちが自覚している以上に深いのかもしれない。

樹が枝分かれしていくメタファーの力を借りた樹形図は、家系図をはじめ古今東西で用いられてきた。チャールズ・ダーウィンも『種の起源』（一八五九年）に掲載した唯一の図で、自然選択（natural selection）による生きものの進化（evolution）を説明するのに樹形図を用いた。ナチュラル・セレクションには、人だけが選択するのではなく、そもそも、自然が自然の流儀で脈々とセレクションを続けてきている、という、根っからのナチュラリストであったダーウィンの洞察が込められており、エボリューションも、巻物が展開し、広がっていくというのが原義だ。今日では、人の文化の多様な展開を、ダーウィンが自然界の観察から見出した知見を応用して考察、分析しようとする文化研究も現れてきている。

宇宙誕生からの自然の展開、生きものの展開、人の文化、文明の展開のいずれの説明にも、樹形図は用いられることが多く、わたしたちになじみのものといえる。

ホモ・レリギオは、人知を超えるものへの関心と謙虚さを合わせ持つ。この特徴は、自然、生きもの、人自身、つくられたもの、そして、人知を超えるものへの、興味深い関わりにも影響を与え、文化、文明として展開していく。それぞれの関わりが幹となる。ときにはある幹が突出したり、幹同士がぶつかり合ったり、絡み合うこともある。それでも、どの幹にも、枝葉が生い茂っていく。

第二章

人の存在を問う

ハラリに応え、西田幾多郎と出会う

一　人の存在の仮説性

対話を育む立場

新テクノロジーに携わる科学者や技術者たちが、研究・開発の必要上、人の存在をアルゴリズムとデータの流れの如く(ごと)とらえるとしても、なぜ、多くの人は自覚しないまま影響を受けてしまうのだろう。それは、科学的にたしかに構築された人間観なのだろうか。

自然、生きもの、人、つくられたものの、デジタル化され、蓄積され続ける膨大なビッグデータをもとに特徴量を抽出する働きを、人工知能は担う。

特徴量については、「「データの中のどこに注目するか」ということであって、それによって、プログラムの挙動が変化する。」（松尾豊『人工知能は人間を超えるか――ディープラーニングの先にあるもの』二〇一五年、七八頁）、「機械学習の入力に使う変数のことで、その値が対象の特徴を定量的に表す。この特徴量に何を選ぶかで、予測精度が大きく変化する。」（同、一三五頁）等と説明される。

半導体とコンピュータ、観測機器の性能向上、アルゴリズム精緻化により、デジタル化の対象範囲は爆発的に広がっている。

人の存在をアルゴリズムとデータの流れとしてとらえる人間観、生命観が浸透していく背景には、人の脳の神経細胞の働きを模したニューラルネットワークに加え、カナダのジェフリー・ヒントン等が二〇〇六年に開発したディープラーニングにより、特徴量解析の精度が飛躍的に向上した技術的ブレイクスルーがあった。人工知能がこれほど成果を挙げているのだから、そのモデルである人の脳も、アルゴリズムとデータの流れとして理解していいのではという連想が働くのだろう。

ＡＩ・ロボット・生命の工学は、人のもつ各機能をアルゴリズムとデータの流れとみなし、それらの工学的再現に乗り出すことで飛躍的な成果を挙げ続けている。メディア報道が、アルゴリズム的人間観を、仮説ではなく科学的事実のように伝える。社会がこの見方を受け入れていくとき、ヒューマニズムの人間観は侵食されていく。

近未来の懸念ではない。わたしたちはいつの間にか人そのものより、人が生み出すデータを気にかけ、それに振り回される立場に追い込まれている。憲法、法律で個人の尊厳が前提とされてはいても、個々人から生じるデータが国家、企業、教育機関、病院、そして当人自身によって活用されているため、場合によっては人そのものより重んじられる。中国のアリババやＬＩＮＥの信用スコアのように、スマートフォンのアプリケーションが人の行動履歴から割り出す点数により評価が定まっていく。ＤＮＡなどの生体情報、デジタル遺品はデータとして残り、新テクノロジーへの利用価値があるため、今は亡きその人の存在やモノとしての遺品より、多くの関心を集めることにもなる。

やがて、アルゴリズム的人間観は、人の存在の一側面についての作業仮説ではなく、大方の人びと、社会が依拠し、認知するコモンセンスとなっていくのだろうか。あるいは、人にはアルゴリズムとデータの流れではない領域が残り続けるとする人間観は、その地位を守り続けることができるだろうか。

後者の立場なら、ＡＩ・ロボット・生命の工学には、異なる人間観を前提とする他分野との対話が不可欠であり、人の理解のために複合領域の研究が必須となる。ＡＩ・ロボット・生命の工学が自足せず、異なる人間観を有する人文学、宗教、芸術、スポーツなどとの対話を不可欠とする方向性が、豊かな文化を育むと考えるためだ。

それには、アルゴリズム的人間観が仮説にとどまらざるをえない根拠を探求、提示し続けなければならない。科学的良心に加え、近代以降のヒューマニズム、それを遡る宗教文化伝統が蓄積してきた人間観への新たな理解が必要となる。

異なる分野の専門家が知的誠実さを保ちつつ対話し、得られた洞察と知見を複合領域研究の成果として一般社会に伝える努力が欠かせない。ヒューマニズム、テクノロジー、宗教の対話は、これまで以上に喫緊の課題となっている。

アルゴリズム的人間観が仮説にとどまる理由

そこで、人をアルゴリズムとデータの流れとみなす発想を中和する試みとして、こうした人間観が十分な科学的検証を経た知見ではなく、今後もあくまで仮説にとどまり続けると思われる理由を八つ示したい。

【人体について】

①二〇〇〇年代以降の細菌学の成果により、人は、数一〇兆個の人体細胞の、少なくとも数

倍に及ぶ一〇〇兆個の微生物群を体内に有し、これらマイクロバイオームと呼ばれる微生物叢と協調して生きていることが明らかになった。その総重量は脳に匹敵し、種類は一万種にのぼり、人体の生命維持に必要な「器官」であるととらえる見方もある（マーティン・J・ブレイザー『失われてゆく、我々の内なる細菌』山本太郎訳、二〇一五年〔原著二〇一四年〕、二五‐四四頁）。

さらに、ウイルス学の急速な進展により、こうした体内微生物の一〇倍に及ぶ一〇〇〇兆を優に超えるウイルスが人体に常在している事実も判明している。そして、驚くべきことにヒトゲノムの半分近くが人の祖先の時代から入り込んだウイルス由来の遺伝子で構成されていることも、わかってきている（山内一也『ウイルスの意味論』二〇一八年、八六、九八頁）。

つまり、人は自らの細胞の総合としてのみ生きているのではない。人の存在をとらえるには、人体細胞のみでは不十分で、膨大な数の微生物やウイルスと密接に関わりながら共生している事実があるのだ。

人としてのトータルな存在をアルゴリズムとデータの流れとして解明するには、これらすべての関係性を射程に入れなければならないはずだ。体内の人体細胞、常在微生物、常在ウイルスの関係を含めたすべての活動がアルゴリズムとデータの流れであると仮定したとして、瞬時の関係は、今後、量子コンピュータをはじめ、いかなる新型コンピュータにも処理しきれないほどの組み合わせとなり、計算は不可能であろう。

②人体細胞のみに限定して、脳や他の器官の細胞のＤＮＡ及び他の構成要素の働きを、それぞれ個別のアルゴリズムとデータの流れであるとみなし、科学的成果を挙げ続けたとしても、それらをすべてまとめて統合的なアルゴリズム・データ群として解析できるかはレベルの異なる問題であり、相当ハードルが高いだろう。

【脳について】

③人工知能（ＡＩ）は人の脳の構造と働きをまねてはいても、脳そのものではない。たとえば、気候シミュレーションは気候そのものではない。それと同様、ＡＩ上で生じるプロセスと結果は、脳の体験そのものではない。Ｃ・コッホ「機械は意識を持ちうるか」（『日経サイエンス』二〇二〇年三月号、六二－六六頁）は、統合情報理論（ＩＩＴ：integrated information theory）の立場から、脳の機能を模擬するだけで意識を作り出せるとするグローバル・ワークスペース理論を批判している。すなわち、意識を生じるには脳の具体的な物理的過程として内在する因果的効力が必要で、意識のシミュレートはできないとし、気象モデルで暴風雨をシミュレートしてもずぶ濡れになることはない、とのたとえを挙げて説明する。

生きている神経細胞をはじめ脳の構造と働きには未解明な領域が広大に残されている。物質の塊にすぎないとみなされる脳に、色や音や味覚などの質感をともなった経験のような意識の現象的側面がなぜ生じるのかという、意識の難問題(ハードプロブレム)（hard problem）はいぜんとして未解明なままだ。

④アルゴリズム的人間観が成り立つには、脳をアルゴリズムとデータの流れとして、分析するだけでは足りない。なぜなら、人の生命活動を担う各構成要素が自律的に働いているためだ。意識しなくても、わたしたちは呼吸し、心臓も動いている。体内では脳のみならず各器官の間で膨大なメッセージ物質がやりとりされ、脳による上意下達ばかりでなく、双方向的なコミュニケーションによって生体全体が維持されているのだ（国立科学博物館編『［特別展］人体――神秘への挑戦』二〇一八年）。

【DNAと他の細胞構成要素について】

⑤合成生物学では、自然の生物界のような長いDNA鎖(さ)の全体を作り出すことは、いまだ困難である。

⑥人工ミトコンドリアなどの研究が進められてきてはいるが、DNA以外の細胞の構成要素についても、アルゴリズムとデータの流れとして完全に解明し、自然の生物界に近いレベルで合成できるようにはなっていない。

【人に関わる方法論について】

⑦新型コロナウイルスのパンデミックにより一気に感染症への関心が高まったものの、①で述べたように、長期的には人と共生する細菌、ウイルスを含めた人間観が培われ、その延長上に、人のとらえ方において、計算不可能な非アルゴリズム性も、重要な位置を占めるようになるだろう。

計算・制御可能な側面に加え、計算・制御不可能な非アルゴリズム的側面という新たな工学的アプローチが探求されうる。西郷甲矢人（はやと）「自然知能と圏論」（『人工知能』三三巻五号、二〇一八年、五五三―五六〇頁）は、その一例にユニバーサルグリッパーというソフトロボットを挙げている。非アルゴリズム性は、ヒューマニズム、宗教文化伝統にとっても欠かせない特徴と認識されるようになるかもしれない。

⑧人またはその一部を他の無機物や有機物で置き換え、再現しようとする工学的アプローチは、人の存在を探求する数ある方法の一つにすぎない。心理学的、社会学的、法的、文学的、芸術的、倫理的、宗教的アプローチ等、方法はいくらでもある。工学的アプローチの前提となる、人をアルゴリズム・データの流れとしてとらえる人間観そのものも、バイアスを免れえない一種の信念といえよう。

アルゴリズム的生命観の限界と問題点

自然界に存在する最小レベルの生命であっても、それ自体を一からつくり出すことは複雑すぎて、今日の科学技術では不可能である。塩基をつなげＤＮＡの二重らせん構造の長い鎖をつくり出すことも、⑤で述べたように、きわめて困難である。

そこで、自然界のＤＮＡで遺伝子としての働きが顕著な部分だけをモデルに、塩基を人工合成した短い鎖をつくり、別の生きた細菌がもっていたＤＮＡと取りかえる。すると、合成物と生きものの複合体であるミニマル・セルが、細胞分裂をくり返し、指数関数的に増えていく。生きるのに必要なエネルギーをつくり出す代謝も行う。自己複製と代謝の能力は生命の特徴とされている。

こうして働いている人工ＤＮＡはアルゴリズムといっていいものかもしれない。もっとも、遺伝子という観点に絞って生命をとらえること自体、生命活動の核心をアルゴリズムと仮定したアプローチで、標的遺伝子を思い通りに改変するゲノム編集も、改変遺伝子を生物種の集団全体に広める人為的遺伝子ドライブも、人工ＤＮＡから人工生命をつくろうとする合成生物学も、同じアプローチの延長線上に登場している。

だが、ミニマル・セルでは切り落としてしまった自然界のＤＮＡの、遺伝子をもたないと考えられていた部分には、生きものとして大切な意味はないのだろうか。また、ＤＮＡ以外の、人工的につくり出せていない生命体の構成要素は、はたしてアルゴリズムとデータの流れとしてとらえることが可能かなど、本質的な問題が残されたままである。

ここには、生きものの、アルゴリズムとデータの流れとしてとらえることが容易な部分にのみ着目し、そこに全精力を傾けて決定的影響を及ぼそうとする、科学以前の意志がひそんでいる。

合成生物学は、観察、実験だけでなく、予測を立て工学的にＤＮＡを設計し、それをつくり出すことによって生命活動とは何かを解明すると主張する。塩基を人工的につなげたＤＮＡを新たなアルゴリズムとして、元のＤＮＡの一部を取り去り、入れ換える。

コンピュータ上で「生命の設計図」であるゲノムを設計し、その情報に基づいて合成したＤＮＡや、改変したＤＮＡを持つ新たな生物を作る。作ることによって生命の仕組みを解き明かす。あるいは得られた知識と技術を駆使して人類にとって有用な生物を作る。合成生物学はそうした試みだ。（中略）ゲノムを解読し、デジタル情報として扱えるようになったからこそ、こうした工学的発想が生まれ、実験も可能になった。

（須田桃子『合成生物学の衝撃』二〇一八年、七頁）

将来、人の脳にある神経細胞のＤＮＡを別の人工ＤＮＡに置き換える技術が開発され、法的問題もクリアして、施術がなされると思い浮かべてみよう。

自然には成人の神経細胞は分裂、増殖しないが、置き換える人工ＤＮＡに増殖を可能にする遺伝子を組み込めば神経細胞が増え、神経細胞同士の新たなネットワークが生まれるだろう。受精卵や胎児の状態からでなく、工学的手法によって、成人の脳のネットワークを変化させることが可能になる。仮に、このような技術が現実化した場合、人の存在がアルゴリズムとデータの流れであると証明できたことになるだろうか。

④と⑥で述べたように神経細胞以外の人体細胞、神経細胞のなかでもＤＮＡ以外の構成要素も合わせ、すべてアルゴリズムとデータの流れとして解明し、さらに人工合成できなければ、証明の必要条件を満たしたとはいえないのではないか。

人の存在の、特別に切り取った一部のみをアルゴリズムとデータの流れとしてとらえることもできると仮定し、未解明の領域については判断を保留しておくことと、あたかも人の存在のすべてがアルゴリズムとデータの流れであるかのようにみなして、自然界にはない工学的操作を無際限に加えていくこととでは、根本的な態度の違いがある。

仮説にすぎない立場に、厳格な制限を設けず工学的操作の許される範囲をどこまでも拡張していくことはきわめて危険である。

現代の生物学、医学は絶大な成果を挙げているようにみえるが、それは、このような仮説的信念、方法論によって得られる成果ばかりを喧伝しているためともいえるだろう。

三つの人間観はいずれも仮説

以上の考察を前提に、ヒューマニズム、新テクノロジー、宗教文化伝統の人間観について整理し直してみよう。

ヒューマニズムは、神や仏など科学的証明になじまない存在を根拠にもち出すことなく、尊厳と人権を有する個人としての人間像を位置づけた。人知を超えるものの領域に依拠しないことから、宗教文化伝統より科学との親和性が高いと一般社会から受けとめられてきた。

しかし、ハラリは、近代化した多くの市民社会で宗教文化伝統に取って代わると思われたヒユーマニズムの人間観もまた、近代社会特有の合意的信念にすぎず、新テクノロジーの登場によって科学的根拠をもたないことが明るみになったと指摘した。尊厳と価値を有する自由な個人によるとしてその政治的、経済的、美的選択を無条件に信奉するヒューマニズムの人間至上主義を、人間主義者の宗教(ヒューマニスト・レリジョン)と呼んで相対化し、宗教文化伝統と同列に置いて、信念体系にすぎないと論じている（Harari, *Homo Deus*, 2016, p.221）。

個人による選択は自由に見えて生体やテクノロジーなどの条件に縛られ、個人が尊厳と価値を有するという前提も科学的には証明できない。たとえば、量子論、生命工学は尊厳の根拠となる量子のふるまいやＤＮＡを見出すことはできない。個々の秀でた能力につながる蓋然性の高いＤＮＡを特定しうるのみである。

個人の尊厳を前提とするヒューマニズムの人間観は、抑圧、差別、虐殺などの大きな過ちをくぐり抜けて近代社会の通念となり、法や制度に取り入れられてきた。いわば、人類史、近代史を通じた歴史的、社会的実験のなかから成立した仮説的人間観といえる。個人の尊厳と人権を否定すれば、人自身への無慈悲な行いが容認されてしまうことから、理由を問わず揺るがしてはならない前提とされるにいたった。だが、この前提が、新テクノロジーの人間観により蝕(むしば)まれつつある。

そこで、この状況を逆手に取り、新テクノロジーの人間観の仮説性を合わせて指摘してみよう。

新テクノロジーの人間観、生命観も、中立的、科学的な検証の蓄積によって成立しているものではない。もし、ヒューマニズム、宗教文化伝統の人間観、生命観を物語とみなすのであれば、新テクノロジーのそれも新たな物語にすぎないのではないかと問い返さねばならない。

人工知能や合成生物学の成果がいかにめざましくとも、それは、地球上のすべての人びとのこころ、精神、感情の働き、すべての生きものの活動の深淵さとスケールに比べれば、きわめて限られた達成だ。

わたしたちの人として、生きものとしての活動が、本当にすべてアルゴリズムとデータの流れであるかどうか、あるいはその核心がそうなのかについて、今日の科学的水準では解明できていないことがあまりに多い。

人工知能も、合成生物学も、脳や生命体の働きをそのままトータルに解明し、忠実に再現しようとするアプローチではなく、アルゴリズムとデータの流れとみなす作業仮説で理解できる側面にのみ着目し、その限られたモデルを工学的につくり、自然、生きもの、人、つくられたものから得られたデータを処理させ、生命体の元の構成要素と入れ換えたりして、世界を改変しようとしている。

生きものや人の存在の中核が、本当にアルゴリズムとデータの流れであるかどうかより、世界に大きな影響が及ぶことが重要で、注目や評価を集めていく。

これらの知的活動で見失われやすいのは、人の存在に対する他の仮説への開かれた姿勢と、自らの行為が倫理面のみならず真理探求の面からも正しいか否かを問う科学的良心である。

人工知能、合成生物学によって自然、生きもの、人の世界に不可逆的影響を及ぼす場合、元の状態を変えるほどの意義がその科学的成果にあるかどうかが問われなければならない。

そこで、人や生きものの存在をアルゴリズムとデータの流れとみなす立場と、みなさない立場のいずれも仮説に基づくととらえてみよう。ヒューマニズムと宗教文化伝統の人間観、生命観が浮上し、人の存在が尊いものであるとする考えが仮説として含まれる。宗教文化伝統は、人を、仏性を有し、あるいは神の創造物とするなど、尊い存在ととらえ、その根拠として人知を超えるものとの関わりを説いてきた。

人類史の大きな流れのなかで、わたしたち人は、人の存在が尊いとする仮説を手にするまでに、多くの悲劇をくりかえした。この洞察を手にして、まがりなりにも多くの治癒（ちゆ）を得、人と人の間にルールによる調整を実現してきた。アルゴリズムに劣らず、尊厳の仮説も多くの影響を社会に及ぼしてきたのだ。

アルゴリズムとデータの方を重視して国際規約や国の基本法が書きかえられていくような、個人の尊厳を軽視する社会は存続が可能だろうか。

わたしたちは、人や生きもののある側面でアルゴリズムとデータのアプローチが適用できることを発見し、その効果に目を奪われてしまう。そのとき、広大な領域がアルゴリズム仮説によっては解けず、人の存在の核心に接近するには、異なるアプローチも必要であることを見逃してしまう。

しかし、文学、芸術、スポーツなどの文化活動、また、経済、政治活動、そして、哲学、倫理、宗教を求める人の営みのすべてがアルゴリズムとデータの流れ、あるいはそのような存在のアウトプットであると言い切れるほどに、ＡＩ・ロボット・生命の工学は邁進（まいしん）していくだろうか。

いや、自由やその都度の一回性をこそ本質とするような、人としての活動の領域は、わたしたちが意識する以上に広がっているのではないか。

新テクノロジーはヒューマニズムの人間観に科学的根拠の希薄さを印象づけるが、アルゴリズム仮説も科学的根拠は貧弱だ。三つの人間観がいずれも仮説であると認めてはじめて、ヒューマニズム、宗教文化伝統の人間観も、それぞれの立場から、重要な意義を有し続けると主張するスタンスが可能となる。三つをいかに共存、総合しうるかという課題が現実味を帯びてくる。

ヒューマニズムと宗教文化伝統は、人を尊い存在とみる点で一致し、さらに、宗教文化伝統は、煩悩や罪に大きな関心を寄せ、過つ人の存在をも同時に説いてきた。新テクノロジーを開発、利用する人が犯しうる過ちに警鐘を鳴らし、人の尊厳や人権を脅かすのもまた人であるという点を想起するには、宗教文化伝統に正当な重みを与えて議論することが有効だろう。

二　存在のゆらぎ

人の活動と存在のゆらぎ

ヒューマニズム、新テクノロジー、宗教文化伝統のそれぞれを、人間性、作為性、超越性を見出しつつ関わる人の活動ととらえてみよう。

人間性とは、わたしたちがある存在を人であると判断すること、作為性とは、ある存在に人による精神的、物質的な作用が加えられていること、超越性とは、ある存在が人の知性、感性、意思などの能力を超えていることを意味するとしよう。作為性は、技術（テクノロジー）一般に当てはまるが、ここではＡＩ・ロボット・生命の工学に限定して考える。これらはいずれも、存在に見出す性質でもあるから、存在性と呼ぼう。

その上で、人、つくられたもの、人知を超えるものとの対応関係を表し、複雑な論点の絡まりを解きほぐしてみよう（表1）。

グレーで内塗りした9個のマス目のうち、左上から右下まで斜めにたどれば、人間性（ヒューマニズム）と人の対応から尊厳を有する個人、作為性（新テクノロジー）とつくられたものの対応からＡＩ・ロボット・生命の工学による所産、超越性（宗教文化伝統）と人知を超えるものの対応から神仏が、おのおの当てはまる内容として理解でき、濃い点線で示している。

そこで、人、つくられたもの、人知を超えるものは、それぞれ、人間性、作為性、超越性を中核的な特徴とする存在と考えることができる。

さらに、人間性（ヒューマニズム）はつくられたものと人知を超えるもの、作為性（新テクノロ

存在 / 存在性	人	つくられたもの	人知を超えるもの
人間性	尊厳を有する個人	データの尊厳	不可知的存在
作為性	アルゴリズム・データ	AI・ロボット・生命の工学による所産	シンギュラリティ以降の超知能
超越性	仏性・神の子と煩悩・罪等	依代	神仏

表１　人、つくられたもの、人知を超えるものと人間性、作為性、超越性との対応関係

- 点線は、各マス目の境界が完全には区切られていないことを示す。存在、存在性のとらえ方は、いつもゆらいでいる。
- 最上左端のマス目は、第三章中の図２下部に対応する。
- このマス目から展開し、存在は人、つくられたもの、人知を超えるもの、存在性は人間性、作為性、超越性へと分節されていく。これらの組み合わせから生じる９個のマス目をグレーで示す。存在は自然、生きもの、存在性は自然性、生命性へも分節するが、ここでは示していない。
- 濃い点線は、人、つくられたもの、人知を超えるものとそれぞれの中核的な存在性である人間性、作為性、超越性との関わりから生じる３個のマス目を示す。

ジー）は人と人知を超えるもの、超越性（宗教文化伝統）は人とつくられたものにも、それぞれの立場から関わることが、この図から汲み取れよう。

ここでは、人の存在に対して、新テクノロジーが作為性、宗教文化伝統が超越性を見出しつつアプローチするとき、アルゴリズム・データ、仏性・神の子と煩悩・罪などの人間観が生じることも読み取れる。超越性が煩悩・罪とも関わるのは、それらの根源も人自身の能力を超えているとの解釈が含まれるためだ。

つくられたものの存在に対して、ヒューマニズムは人間性を見出し（人から得られる）データの尊厳、宗教文化伝統は超越性を見出し（人知を超えるものの）依代（よりしろ）という人工観が生じる。

人工知能の超越性と限界

人知を超えるものについては、ヒューマニズムから不可知的存在、新テクノロジーからはシンギュラリティ以降の超知能という宗教観が生じるだろう。

人工知能は設計段落では、生みの親であるプログラマーに理解されている。しかし、アルゴリズムにビッグデータを与えディープラーニング等を施していくと、高度の複雑化によって、どのような内部プロセスが進行しているのか辿れなくなる。ブラックボックス化現象である。人工知能は、ビッグデータのなかから、専門家も気づくことができなかった隠れた特徴を析出してくる。しかし、それを導き出した過程を正しく辿ることは人にはできない。このように認知の局面で、人知を超える現象が生じている。人工知能のような人の手によってつくられたものが、作為性のみならず、ある種の超越性をもつにいたっているということだ。

人工知能は、人の誕生、教育、受験、就職、恋愛・結婚、医療から、社会の運営、消費行動分析・促進、為替・株取引、自動運転、犯罪防止、再犯可能性予測、軍事的アクション、農業、気候変動リスクにいたるまで導入が進み、また、新たに計画されている。

わたしたちは、ふくれあがるビッグデータとそれを解析する人工知能のアンサーに囲まれ続ける。

自身や専門家が判断を下すより、人工知能の方がより正確に、先入観なく、効率よくビッグデータを解析できる。わたしたちを取り巻く事物のなかでデジタル化できるものなら、なんでもビッグデータとなりうる。

しかし、認知分野で専門家以上に優れた判断を瞬時に行うが、その過程をたどれず、一〇〇パーセント正確な答えを出すことはない人工知能に対し、どのような態度をとればよいのか。

しかも、ビッグデータはデジタル化できたデータの集積で、人工知能の教師あり学習のパフォーマンスは、常に過去化された事象から引き出されている。ビデオカメラや各種センサーをはじめ様々な計測機器によってリアルタイムで集積されてはいるが、データ化されなかった余剰分は切り落とされ、集積のプロセスそのものが、その都度の過去化なのだ。

ヒューマニズムと宗教文化伝統の意義

それでは、わたしたち人や生きものの行動が、常に過去の条件のみで決定されているのではないという仮説に立って考えた場合、どのような世界が導かれるだろうか。

ビッグデータは、デジタル化できない情報を捨象し、今まさに変化しようとしている人や生きものの存在を原理上とらえきれないという特徴をもつ。人工知能は、デジタル化できない領域と、人や生きものの存在のリアルタイムの今に対して認知能力を発揮できない。

そのような領域と今に向き合うために、どのような方法があるだろう。この問題に対して、宗教文化伝統には多くの智慧（ちえ）が含まれている。人が自らの認知能力を超えた領域に直面したときに対応してきた経験――そこには、すばらしい気づきも短絡的な思い込みも含まれているが

――の宝庫であるからだ。

デジタルデータは過去の一部であっても、全部ではない。しかも、今、この瞬間の自分は、過去の蓄積だけで成り立っているのではない。この重大な論点を、新テクノロジーに依拠する人間観、生命観は意図的に見落とすおそれがある。

つまり、人の存在すべてをデータ化しえないということが、個人の尊厳の新たな理由づけの一つにならないだろうか。その上で宗教文化伝統のなかで涵養されてきた智慧との関係を考察すれば、現代にも通用しうる洞察が得られるのではないか。

この洞察は、個人の尊厳を重視するヒューマニズムと宗教文化伝統の人間観の双方に、新たな照明を投げかけるはずだ。新テクノロジーに依拠する人間観、生命観の限界を見据えることは、三つの人間観の考察に重要な示唆を与えるだろう。

三　存在を問う――西田幾多郎とともに

人の存在を問う

哲学者、西田幾多郎は存在を「作られたものから作るものへ」という視点からとらえようとした。「行為的直観」（一九三七年）、「人間的存在」（一九三八年）、「絶対矛盾的自己同一」（一九三九年）、「歴史的形成作用としての芸術的創作」（一九四一年）、「自覚について」（一九四三年）といった一連の論文で、渾身（こんしん）の努力を続けた。本書でのつくられたものは、人による精神的・物質的な作為が加えられている作為性を中核とした存在だが、制作や作用など多様な熟語に用いられる漢字「作」を当てた西田の「作られたもの」は非常に広い概念で、本書で述べる生きもの、人、つくられたもののいずれもが当てはまる。

西田の場合、「作られたもの」としての人は、生物学的親をはじめとする生命のつながりによってこの世界に現れた存在というほどの意味である。人は、物理的、生物的条件に規定されていて、自らの意識のみによって存在できているのではない。ところが、「作られたもの」としての人は、同時に、「作るもの」として、この世界に精神的・物理的作用も及ぼす。

西田はこの考えを、動物のような生きもの、人によってつくられたものにまで広げる。とくに人が生み出した精神的・物質的事物は、文化として人自身に深い影響を及ぼし、その意味で人を作っていく。「作られたものから作るものへ」という変容のあり方は、人のみならず、他の生きもの、そして、人の文化にまで見出すことができると西田は思索を進める。

この変容を念頭に置けば、人工知能の暴走や宗教的テロリズムなど今日の危機に向き合うには、つくられたものの一般的考察だけでは十分でないことが明らかだ。対象認識以前、作為以前に遡行し、その上で、考え、ものをつくり出す人の存在そのものが省察されなければならない。

人は、種としての自身の歴史を遥かに超える知識を求め続け、また、工学的手法を用いて、人工知能のように人の能力を部分的に超える存在までつくり出している。これらの科学的知識・技術は、現代文明において、以前の文明では考えられないほど絶大な影響を、人自身に及ぼし続けている。

哲学、科学、技術、宗教の対話のフィールド

哲学も、宗教も、現代では、科学、技術とは棲み分けされる傾向が強く、対話の糸口がなかなか見出し難い。哲学、宗教も、科学、技術も、それらを生み出す人という存在そのものへの省察がなければ、容易に固定化、絶対化されてしまうおそれがある。

人間観の分断を乗り越えるには、世界に働きかける、人としての存在の源である自己そのものを問うことが不可欠となる。それは、対象認識以前の、場所(フィールド)としての自己を問うことだ。留意しなければならないのは、この自己は、対象認識的な方法ではどこまでもとらえきれない、ある何かだということだ。

棲み分けているだけでは、哲学、科学、技術、宗教の対話は難しく、有効な道を見出せない。互いの否定、対話回避のいずれでもない道を見出していかなければならない。そのために、存在の対象認識を成り立たせる以前の、フィールドとしての自己そのものを問うのだ。

近年、旧石器時代を含む豊富な考古学的発見、核DNA解析など新たな研究手法を駆使した人類史の再検討が進み、ハラリの *Sapiens*（サピエンス, 2014　日本語版『サピエンス全史——文明の構造と人類の幸福』柴田裕之訳、二〇一六年）のように、人類史全体を鳥瞰(ちょうかん)し、人としての存在を問う総合的、学際

的探求が注目を集めるようになった。わたしたちは、これまで以上に、人の文化、文明とはそもそも何かを根本的に考える必要に迫られている。

西田に沿って考えれば、人は「作られたもの」として生を受けながら「作るもの」として文化、文明を形成し、さらに、それらが人に影響を与え、人を作っていくという光景が浮かび上がる。古代ギリシア文明も、その哲学や民主政などの遺産があらためてわたしたちに影響を与えるならば、部分的に現代において存続しているといえよう。歴史的使命を終えたかにみえる文化、文明も再び見出され、再評価されることで存続する。

根源的な不思議

人間観の分断の原因である人の活動の棲み分けを乗り越えるには、世界における何かにそのままアクセスしうるアプローチが求められる。近代西洋哲学を切り拓いたルネ・デカルトの「我思う、ゆえに我あり」(ジュ・パンス・ドンク・ジュ・スィ)(Je pense, donc je suis)のような推論やイマヌエル・カントの批判哲学のように人の認識がその何か(物自体)にアクセスできず、対象認識のみにとどまらざるをえないとするなら、哲学、科学、技術、宗教の根本的対話は不可能とみなされ、回避される傾向が強まるからだ。

この課題に西田は先駆的に取り組んだ。

彼は、考えや直感、行為が成立する、独特の関係性、すなわち、対象認識以前のフィールドを、通常の推論ではとらえられない「絶対矛盾」の様相において見出す。そこでは、考える自己の「自覚」と、世界が考える自己において自らを表すこと（西田の言葉では、「弁証法的一般者の自己限定」）とが同じ事柄の両面としてつかみ取られている。

西田のいう「絶対矛盾的自己同一」という独特の「論理」や「存在形式」だ。次の箇所は「絶対」と強調する語を冠さずに叙述されてはいるが、彼の真摯な思考を端的に表している。

自己が自己を考える、考えられた自己と考える自己とが一（いつ）である。かかる自己の有り方からは、矛盾的自己同一の論理が開かれなければならない、場所的有の考が出て来なければならない。デカルトでは、それは主語的方向に考えられたものに過ぎなかった。エルゴは、やはり推論の意義をも有（も）っていたのである。推論式的論理の立場からは、考えるものを考えることはできない。考えられるものは、何処（どこ）までも対象的有たるに過ぎない。しかも何等かの形において、考えるものというものがなければならない。考えるものなくして考えるということは、自家撞着（じかどうちゃく）である。論理の形式そのものは、考えるものではない。それは考えるものの考える形式である。斯（か）くして自覚的自己の存在形式というのは、矛盾的自己同一ということでなければならない。推論式的形式というのは、かかる実在の自己限定の形式にほかならない。

（西田幾多郎「自覺について」『哲學論文集第五』一九四四年、二〇五－二〇六頁。初出は『思想』二五二・二五三号、岩波書店、一九四三年五・六月。筆者により常用漢字と現代仮名遣いに改めルビをふった。「エルゴ」は、Je pense, donc je suis のラテン語訳コギト・エルゴ・スム（Cogito, ergo sum）中の語で、ゆえに、を意味する）

西田は科学的知識の根本特徴を、カント哲学のように主観による対象認識とはせず、自己と世界の「絶対矛盾的自己同一」を基盤とした、世界への自己の「行為的直観」の連なりとしてとらえた。さらに同じ省察によって、宗教の本質を、主観的、対象認識的には把握できないとして、自己と世界が「絶対矛盾」として「自己同一」であるような、存在そのものの「自覚」によってとらえようとしている。

西田の哲学的省察は、対象認識以前のフィールドそのものに向き合い続け、科学的知識にカントと異なる基礎づけを与えようとする。カントのように科学的知識とは別に宗教的領域を確保しようとする道を行かず、宗教の本質を直接見出すことに挑む。その努力は、科学的知識、及び、宗教的経験の安易な固定化、他律化を阻み、人という存在に真摯に向き合う正攻法の試みといえる。

西田は、「作られたものから作るものへ」という表現によって、人と文化、文明を動的にとらえた。人、文化、文明について、過去に起きた出来事のみを再構成して理解しようとする機械論的認識、未来の目的への過程としてのみ思考しようとする目的論的認識のいずれをも不十分であると批判した。

科学的知識と宗教的経験の安易な固定化、他律化は、生きて働く人、人が営む文化、文明の本質的理解を妨げてしまう。そのような知では、全体主義、国家主義、そして、自然、生きもの、人に破壊的作用を及ぼす科学技術の濫用に対抗しえず、世界の知恵を結集しえない。日中戦争、第二次世界大戦、太平洋戦争の渦中に思索を続けた彼は、そう考えていたのではないか。同様に固定化、他律化、分断化される知では、ＡＩ・ロボット・生命の工学が濫用される脅威に、有効に対処することができない。

西田が尽力した哲学的省察の立場においては、人の存在一人ひとりの不断の流動性、自律性が、科学的知識、宗教的経験の双方において保持されている。他者による知識、経験の固定化、他律化は原理的に退けられている。

西田のような立場は、科学、哲学、技術、宗教の分野に携わる者に、クリエイティブな自省を促す。それは、いずれの立場にとっても、固定化と他律化の誘惑に対する根源的な批判となりうるだろう。

対象認識の限界を超えて

わたしたちの知識を、主観客観の相関主義によって見いだされる存在のみに限る立場を乗り越えようとするとき、西田幾多郎の探求から受ける示唆は大きい。世界、自らの存在、他なる存在、いずれについても、対象認識による把握のみでは不十分で、知の流動性、自律性、融通性が失われていくことが明らかだ。

西田にならい、知を対象認識によって見出される存在のみにとどめない立場で探求を進めてみよう。科学的知識、宗教的経験の安易な固定化、他律化に陥ることなく、存在を流動的、自律的に把握しつつ、多様な解釈の余地を認め、人の文化、文明の多様性を、包容力をもって受け入れるアカデミックな素地が開かれてくるはずだ。

自然、生きもの、人、つくられたもの、人知を超えるものに関わる諸学の研究が、各存在についての知識を固定化、他律化せず、自らの専門以外の学問や一般社会に対して対話の通路を開くことは、今日、必然的要請である。

第三章
動く関係性と共有可能性

一　動く関係性と存在

動く関係性から立ち現れる存在と世界

今、経験や記憶を失って、意識がはっきりしない状態から、おぼろげに何かが立ち現れてくるとしよう。

このような何かを、動く関係性、と表現しよう。それは、西田幾多郎なら「絶対矛盾的自己同一」と表現した、不思議な、何かだ。この何かの働きによって、存在が立ち現れる。働きは、いつも変化していて、それによって現れる存在の様相も変化している。

存在を、世界への働きかけによって、受けとめている。

自他の区別もつかない状態から、動く関係性によって、その働きの及ぶ領域として存在が、世界（外部）と違って把握されてくる。あるいは、存在が世界と違って把握されてくるとともに、世界への働きかけがつかめるようになってくる（図1）。

自らの存在、他なる存在

次に、世界への働きかけにおいて、ある反応が現れてくる。このとき、はじめて自らの存在を意識しつつ、それへの反応を示す何かとして、他なる存在を見出すことになる。

こうして、働きかける主体と反応する客体が未分化の、自らがこの世界に存在しているのかも定かでない状態から、存在と世界（外部）、そして、自他が分かれる（図2）。

慣れてくれば、いつも分化しているように思えるが、実際は未分と分化の状態を行き来している。睡眠時や、急に我を忘れるような錯覚におちいったりしたときに、主客の区別が混沌とすることがある。他方、働きと反応から、自らの存在性と他なる存在性がつかめてくる。

こちらからは何もしていないのに、何らかの反応がある場合もある。それも、自らの存在への反応であり、ゼロの働きかけに対する反応と解釈できる。自らは主体であって、他なる存在

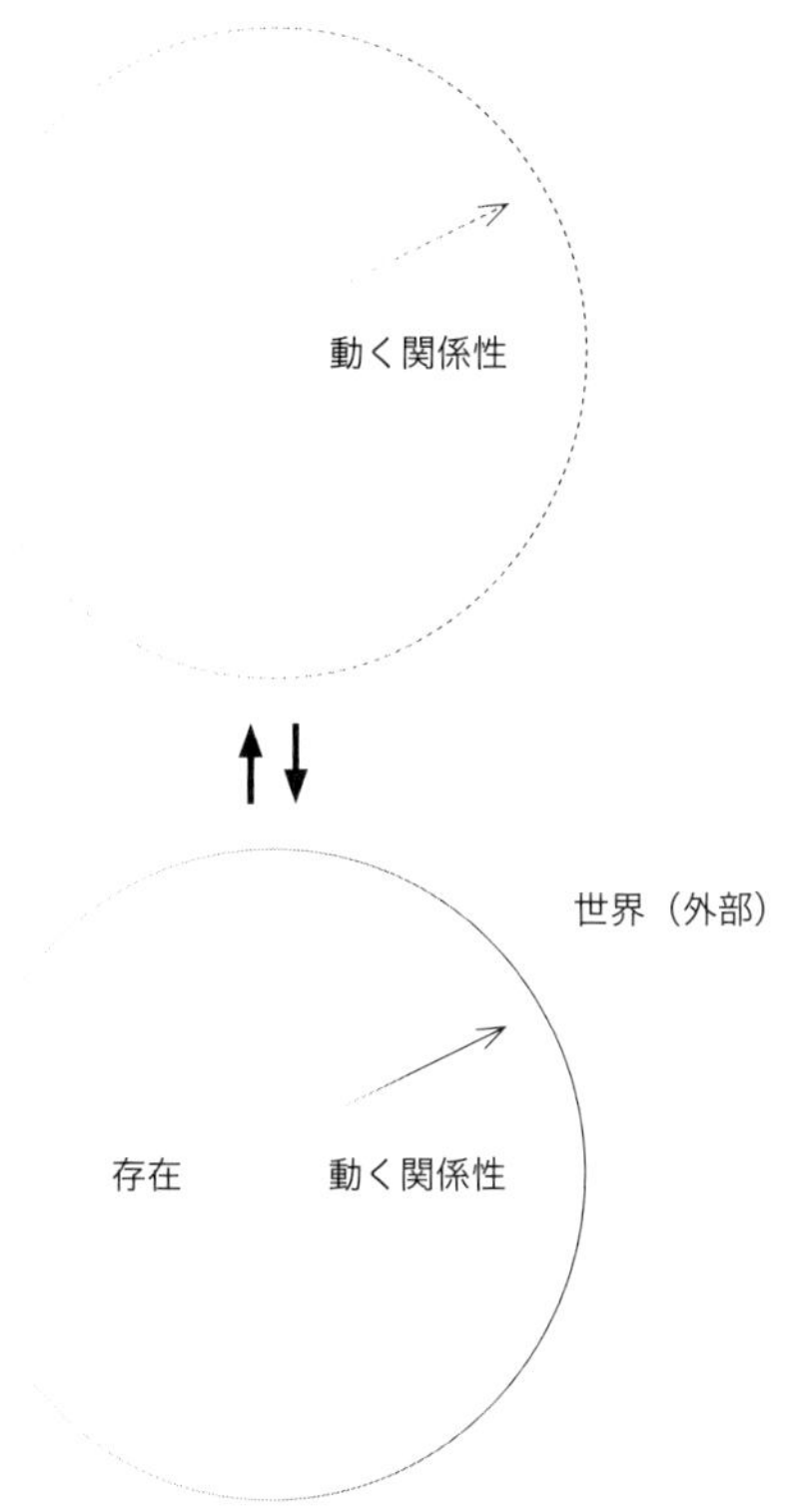

図１　動く関係性から立ち現れる存在と世界（外部）

・上部で、グラデーションの点線矢印と点線円は、動く関係性が立ち現れてくる様相を示す。
・下部で、グラデーションの実線矢印と実線円は、動く関係性によって存在、世界（外部）のそれぞれの領域が把握されてくる様相を示す。
・双方向矢印は、上部と下部の状態が行き来することを示す。

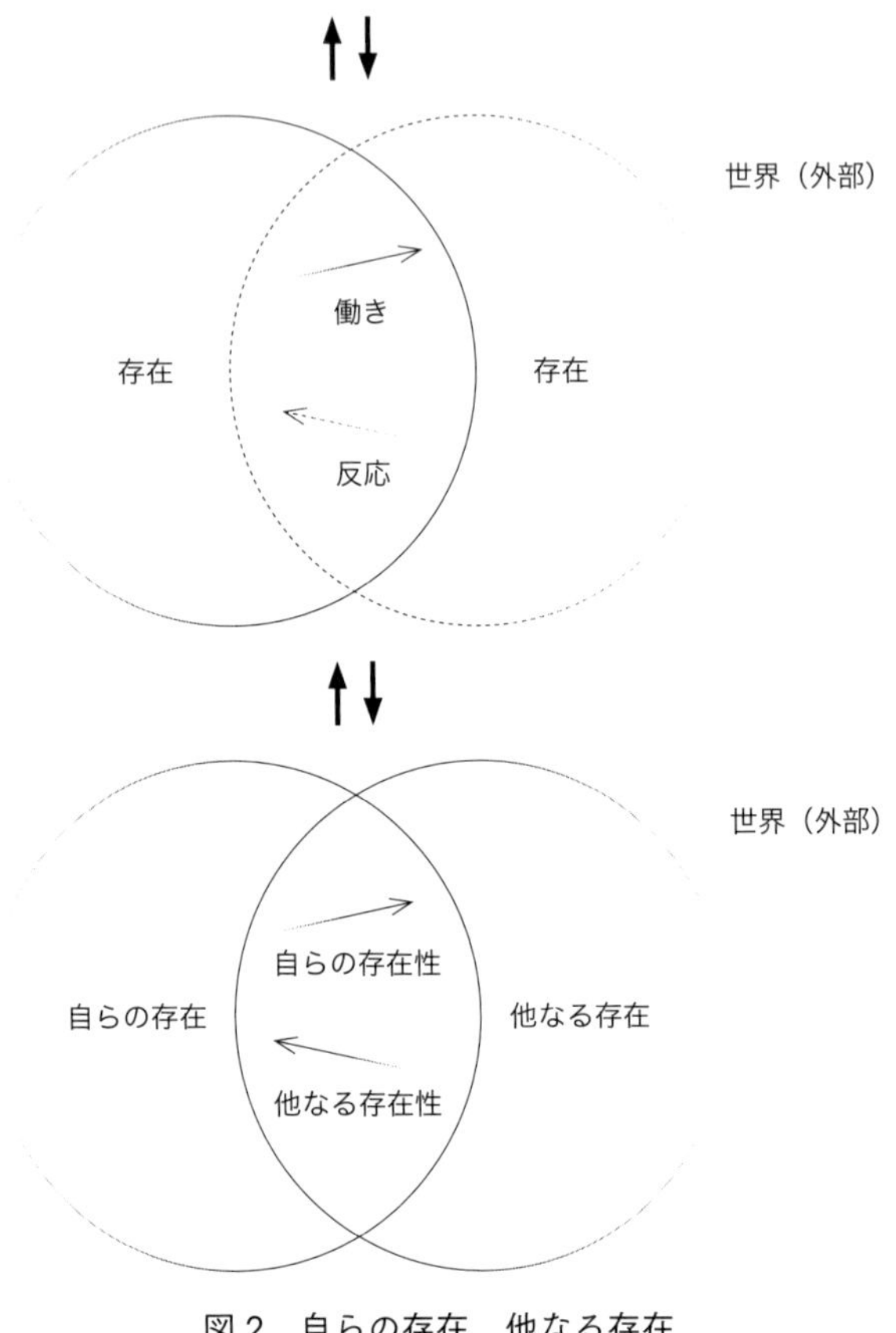

図２　自らの存在、他なる存在

・上の双方向矢印は、図１下部と図２上部の状態が行き来することを示す。
・上部で、右のグラデーションの点線円は、図１下部からさらなる展開が生じ、もう一つの存在が立ち現れてくる様相を示す。
・下部で、左のグラデーションの実線円は、自らの存在、右のグラデーションの実線円は、他なる存在として把握される様相を示す。
・間の双方向矢印は、上部と下部の状態が行き来することを示す。

を客体として見出している。

こうして主客が分化する上で、働きと反応がともなっている。自他の存在は、それぞれの働きや反応によって区別でき、おのおのは両者の存在を成立させている新たなる関係性だ。これがなくなれば、見出していた他なる存在は失われてしまう。わたしたちが豊かに、具体的に生きていくには、新たなる関係性、働きと反応が欠かせない。関係性は常に変化し続けている。

二　共有領域

共有領域

動く関係性としての不思議な何かは、自他の存在を、それぞれに、あるイメージ、観念で、とらえ、おのおの名前を結びつけることで区別している。自らも、他も常に変化するイメージ、観念を、それぞれの領域として思い浮かべることができる。このとき、両者が重なる新たな領

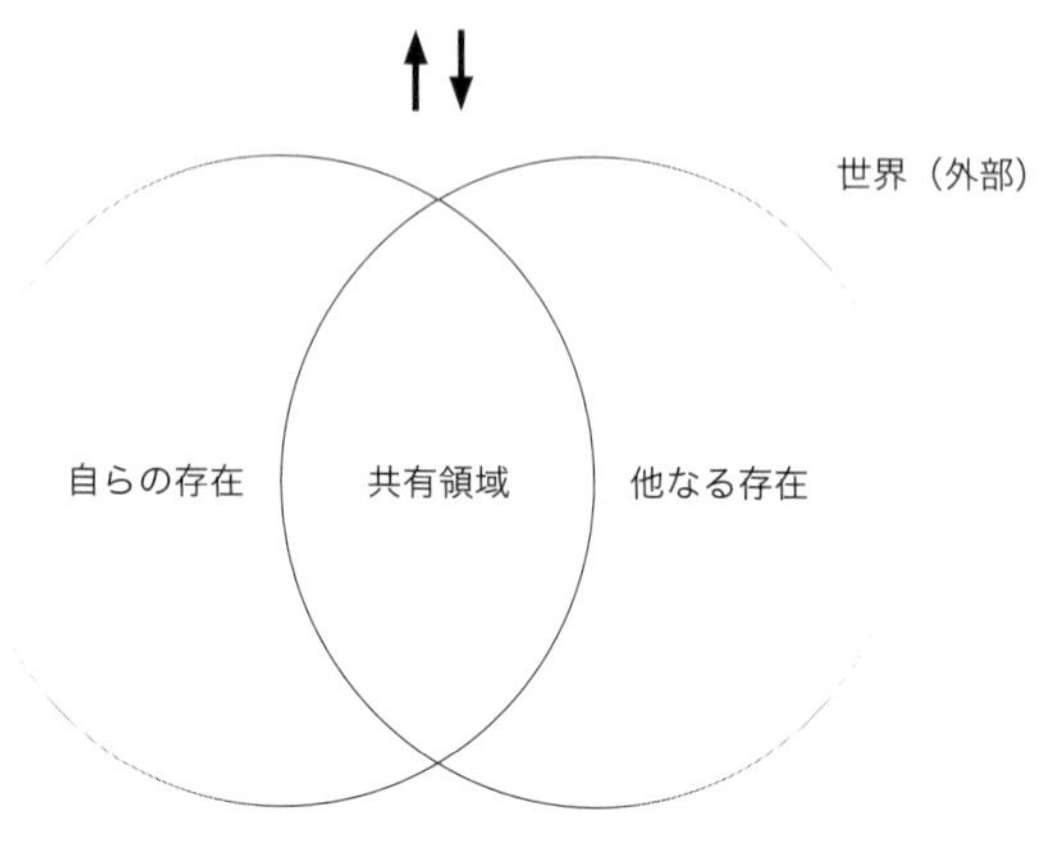

図３　共有領域

・双方向矢印は、図２下部と図３の状態が行き来することを示す。
・図２下部からさらなる展開が生じ、二つのグラデーションの実線円が重なる領域内に、共有領域が生じる様相を示す

域が立ち上がる。

　この重なる領域は、自他が関係している状況を、新たなイメージ、観念としてとらえるもので、両存在にとって、共有領域といえる（図３）。

　どんなかたちであれ、自他を考えるとき、両者の共有領域は必ずともなってくる。自身は、無数の他を見出しつつ生きている。こうした共有領域を否定すれば、自らを成立させている多くの部分が失われてしまう。

　したがって、自らと他にとって、常に変化している共有領域が、互いに良い作用を与え合えるよう保たれるとき、この領域そのものが可能性を有してい

るといえる。

共有領域は、可能性がなくなれば、やがて消滅する。あるいは硬直化してしまう。共有領域が弱体化していく過程で、自らと他は、衝突し、致命的なダメージを避けるため壁がつくられる。壁は最低限の共有領域とも見なせるが、この領域自体の豊かな変化はとまってしまう。

共有領域が可能性を有することは、自らと他がこの世界で存在し合うために不可欠なのだ。

共有領域の展開

自他が離れ、まったく重ならなくなれば共有領域はなくなる。また、一方がもう一方に吸収されてしまうか、ぴったり重なってしまってもこの領域はなくなる。自らと他の、それぞれの領域が確保された上で、二つが重なってはじめて共有領域は成立する。

この常に変化する共有領域は、生まれ、成長し、しぼみ、消滅する。また、復活することもある。

では、自らと自然との関係性で考えてみよう。すると、自ら、自らと自然、自然、いずれでもない、という四つの領域が思い浮かぶ。ここでも、自らと自ら以外、自然と自然以外の境界はグラデーションとなっており、変化する。

何を自ら、自然とみなすかで、その重なり具合も変わってくるが、心中のイメージは、明確な定義がなくとも現れ、変化する。自然の代わりに、生きもの、人、つくられたもの、人知を超えるもののイメージ、観念を思い浮かべるなら、それらとの関わりで、共有領域が立ち現れる。

生きものとの関係性では、生態系、農業、伴侶動物など。

そして、人との関係性も、同様にとらえられる。一見、自らは人であり、人の観念にすっぽり覆われてしまうようにも思える。しかし、それは生物学的な人のイメージを自らにも、人一般にも当てはめた上で、両者が重なるとみなしているせいかもしれない。自らと人一般の観念は、重なる部分は多いが、それでも、たとえば、鳥になって空を飛ぶ自分を空想するとき、それは生物学的な人ではない。もちろん、鳥になっているような空想をするのも、そのような心的働きをもつ人一般なのだと考えることはできる。しかし、少なくとも、こころのなかでは、人一般にとどまらない自らを思い浮かべることができる。動く関係性としての不思議な自己は、自らの意識を、人一般であることの認識以前に生じさせる。

つくられたものとでは、石器から人工知能まで。

そして、人知を超えるものとは、宗教文化伝統の説く神仏などの領域が挙げられよう。わたしたちのこころは、様々なイメージ、観念を思い浮かべるとともに、それによって世界を把握し、また、その見方を外部化していく。この心的能力とその帰結は驚くべき多様性をもってわたしたち自身に作用し、影響を与え続ける。

存在を、世界を把握しようと、こころのなかにイメージが立ち上がり、広がりをもった持続的な領域として、自らと他、そして、自然、生きもの、人、つくられたもの、人知を超えるものの観念となり、それらが関係するとき、共有領域も浮上してくる。

共有領域はきわめて多様で、不安定で、常にゆれ動くが、こころの働きがある以上、完全に消滅してしまうことはない。

三　共有可能性

イメージ、観念の重なりとして共有領域をとらえたが、以降、この領域が維持され、発展する可能性を、共有可能性、と考えることができる。

共有可能性は、自らの存在と他なる存在との限定的で開放的な関係可能性、と呼ぶことにしたい。

限定的とは、互いの存在そのものの否定につながる働き、関わりが制限されることを意味する。どの働き、関わりが存在の否定、肯定につながるかは、はっきりしない場合も少なくないが、関係性が変化していくなかで、事後的に分かってくることもある。

そして、この限定的な関係性が、開放的な関係性を導く。それは、他なる存在の否定につながらなければ、働きかけ、関わりうる主体の範囲は、開放されている、ということだ。働きかけが限定されることで、かえって、働きかける主体が制限されない余地が生まれる。開放的であることが、それぞれの存在に否定的な作用をもたらさないなら、共有可能性の特性に合致し、肯定的な作用をもたらすなら、なおさら、共有可能性は強化される。

これを一般化すれば、共有可能性は、存在Ａと存在Ｂとの限定的で開放的な関係可能性、と定義できる。ここで、共有は、ＡとＢが関係する側面と、Ａとは別のＡ′が共にＢに関係する側面の二つを意味している。

この一般的な定義では、Ａは関係性の主体、Ｂは客体を意味する。

Aには、自らを拡張した、わたしたち、を当てはめることもできる。自らが主体に入っている状態で、主体を拡張していくと、わたしたちとなり、それをさらに拡張していくと、わたしたち人となる。

また、Aに自らを含まない存在を当てはめることもできる。たとえば、Aに彼女、彼を当てはめることで、他の人を念頭に置くこともできる。さらに、BとA′には他の人のみならず、自然、生きもの、つくられたもの、人知を超えるものを当てはめることもできる。

そして、共有可能性においては、主体A以外のA′について、常に客体Bとの関係性が開かれている。

なお、A′が客体に関わるとき、A′にとって現れる客体であるから、厳密にはB′と表現するのが正確だ。ただ、BとB′は同じ客体の複数の異なる主体に対する現れ方の違いであるため、ここではBと単純化して表している。

わたしたち人の意識のなかだけで内容を思い描いている状態は、内的共有可能性、実際に、意識の外に現実化している状態は、外的共有可能性といえる。現実化が進めば、社会の慣習となり、制度として規定されることにもなる。

内的な状態であっても、外に開かれているという特徴が、共有可能性にはある。その意味で、必ず、主体の複数性が前提となっている。

ここで、A、B、A′の関係性を考え、三つの円の重なりで図示してみよう（図4）。一つの円で内と外の境界は明瞭でなくグラデーションになっていたり変化したりするが、陰陽のような関係としてこの内と外をとらえておこう。

そうすれば、内と外を生じさせるイメージ、観念を三つこころに浮かべ、それらの関係性は、二つに分ける働きを三種行うため、2×2×2＝8個の領域が生じる。

実際には、イメージ、観念はどこまでも豊かに多様に生起している。一つのイメージ、観念によって二つの領域が生じるとすれば、n個のイメージ、観念を念頭に置けば、2のn乗の領域が生じる。それらの多くは共有領域でもあるが、共有可能性の程度も様々に変化を続けているといえよう。そのなかで、より抽象化、一般化された存在の観念も働くようになる。それと同時に、イメージ、観念の生成、変容も続いている。

さて、今度は逆に、図4から図3、図2、図1へと遡ってみよう。主客が図1の示す動く関係性から立ち現れており、完全には固定化、他律化されえないこと、共有領域が自在に生成して共有可能性を帯びうる様がつかみやすいだろう。

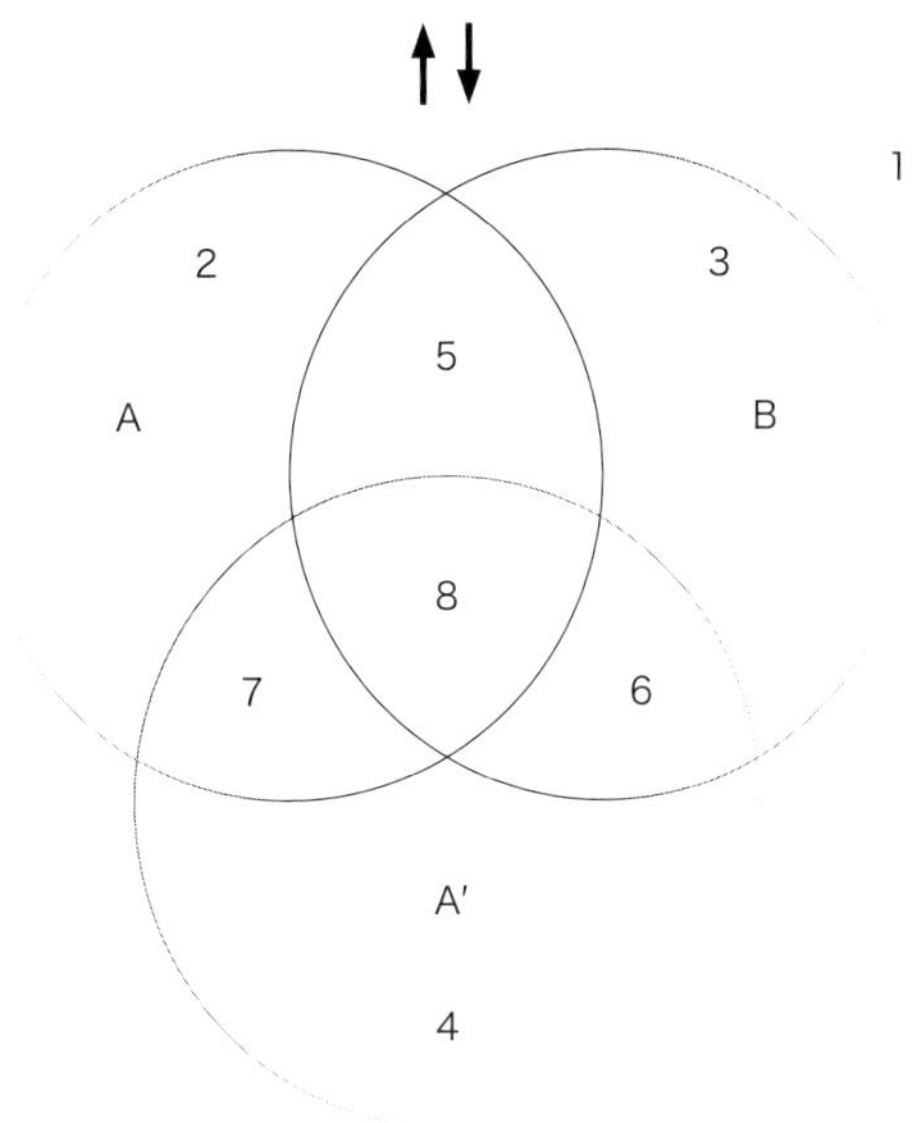

図４　A、B、A’ の関係性と生じる領域

・双方向矢印は、図３と図４の状態が行き来することを示す。
・図３からさらなる展開が生じ、三つ目のグラデーションの実線円が重なることで、自らの存在と他なる存在を、主体 A と主体 B として一般化し、さらに、もう一つの主体 A’ が加わっていることを示す。
・三つの円の重なりで、８個の領域が生じている。世界（外部）が 1、A が 2、B が 3、A’ が 4、AB の重なりが 5、A’B の重なりが 6、AA’ の重なりが 7、AA’B の重なりが 8 である。

以上の説明は、きわめて単純化して表現している。第Ⅰ部後半、第四章から第六章では、具体的な例のなかで考察しながら、共有可能性の理解を深めていきたい。

第四章

空海の祈求

一　世界を照らすふるさとの太陽と月

太陽と月

空海が最晩年、万の燈火と万の花を仏にささげる大法会(ほうえ)「萬燈萬花之會(まんどうまんげのえ)」（万燈会(まんどうえ)）を開いたときの願文(がんもん)をみると、虚空(こくう)や衆生(しゅじょう)ということばに、今日の和歌山県東北部に位置する高野山を舞台に、彼を育んだ四国と紀伊半島の山野と海、そこから広がる、自然、生きもの、人のすべてが含まれているように感じられてくる。

虚空尽き衆生尽きなば、涅槃(ねはん)尽き我が願(ねがい)も尽きん

虚空盡衆生盡涅槃盡我願盡

（空海「高野山萬燈會願文」天長九（八三二）年八月二二日（以下、本章中の月日表記は、当時用いられた太陰太陽暦による）、高野山大学密教文化研究所編「性霊集巻八」『電子版　弘法大師全集』二〇一一年。現代語訳は、竹内信夫『空海の思想』（二〇一四年）の終章「万灯万花会の願文」所収訳（二二三頁）を元に筆者により若干変更）

願文の中ほどに登場するこのフレーズで、虚空は自然、衆生は生きものと人、涅槃は人知を超えるものに対応している。虚空を自然の宇宙すべて、衆生を生きとし生けるもの、涅槃を究極の救済と読めば、次のように意がとれる。

宇宙が尽き、生きとし生けるものが尽きるなら、究極の救済が尽き、わたしの願いも尽きるだろう（しかし、それらは尽きないのだから、究極の救済も、わたしの願いも尽きることはない）。

反語的な強い表現で、願文全体に生きものと人の救済への願いと確信が込められている。彼は、宝亀（ほうき）五（七七四）年、現在の香川県善通寺（ぜんつうじ）市に生まれた。幼い頃の名は真魚（まお）といった。どこか、かわいらしい、生き生きとした名だ。その名のごとく、将来、瀬戸内海を通り抜け、はるか彼方へと旅立つことになる。数え一五歳（以下、数え年で表記）で奈良の平城京に上るまで、ふるさとの讃岐国で育った。一九歳で入学した官吏養成機関、大学寮をまもなくして退学すると、阿波の大竜岳や土佐の室戸崎などで修行を重ねていく。この間、都は平城京から京都府南部の長岡京、さらに北の平安京へと遷都が続いた。

歴史の表舞台に登場するのは、留学生として遣唐使船に乗り込むときであるから、それまでの一二年間は謎につつまれているといわれる。

独学で学問を修め、四国と紀伊半島の大自然の中で、ひたすら修行に励んでいたことはまちがいない。二四歳で初めての作品『三教指帰』を著すと、奈良の久米寺東塔下で『大日経』を発見し、その精髄を探求するため唐に渡ることを志した。そこに説かれる大日如来は、大いなる遍照者として、太陽のように暗闇を除き、すべてを照らす宇宙の根本の仏を表していた。

願文の前半と後半には太陽と月のメタファーが用いられている。日の輝きが空にかかると、ただ一天の暗きが除かれ、月の鏡は銀河にかかるが、誰が世界全体の明かりをつくるだろう。（法会の）無尽の荘厳が大日の慧光を放ち、無数のマンダラ諸尊の智慧が満月の定照を発する。そう、空海は唱える。

生を受けて留学までに眺めたであろう日の光と月明かりは、ほとんどが四国と紀伊半島のものだった。なかでも、幼少期から過ごした四国の自然の重要性は強調しても、しすぎることはない。

包容の世界と三教

彼は、自然のなかで智慧と、救いの光を求めた。大自然がなければ、このような人は、修行はおろか学ぶこともできなかったのではないだろうか。

たとえば、『三教指帰』は唐に携えていった作品で、無名の留学生が、中国の書聖、王羲之（おうぎし）などに範をとった天才的な書と漢籍の知識の実力を端的に示す効果があった。四字と六字の対句を基調とする当代流行の四六駢儷体（しろくべんれいたい）（駢は二頭だての馬、儷はつれあいの意）という華麗な漢文体を駆使し、巧妙なドラマ仕立てで、表のストーリーでは儒教、道教、仏教の三教（さんきょう）の優劣を論じながら、随所に彼が青年にして身につけ得た数百巻に及ぶ漢籍の背景知識をちりばめている。この『三教指帰』に、日月のたとえがすでに現れるのだ。

ある主人の放蕩（ほうとう）な甥（おい）を立ち直らせるために、先生が儒学を、また、隠士（いんし）が道教を、そして流浪の僧が仏教を説いていく。こころを入れ替え立身出世しなさいと諭（さと）す先生に甥は納得するが、隠士が加わって不老長寿について述べると主人と甥、先生までが隠士の前にひざまずく。だが、空海を思わせる僧が仏の教えを明らかにすると、今度は隠士を含めた四人全員が過去の悪業を恥じ、躍り上がって喜びを表現し、仏に帰依する。ところが、僧は、儒学も道教も否定せず、三つの教えを詩にまとめて歌にして親しむようすすめる。その詩は、日月の光は暗い夜の闇を破り、儒・道・仏の三教は愚かな迷いのこころを導く、と詠(うた)う。

『三教指帰』は『大日経』を発見する以前に執筆され、病人を救う医者に仏をたとえた医王如来(いおうにょらい)にふれているが、大日如来は登場しない。しかし、日月の描写は、ありきたりの比喩や決まり文句ではないだろう。

この人は、幼年時代から何度も日の出による光の到来と月光の輝きに感嘆し、太陽と月に照らされる虚空と衆生の有り様を、驚きの目でとらえていたのではないか。

『三教指帰』のような表のストーリーの裏に膨大な漢籍の知識をちりばめた作品を著すには、特別な暗唱力が必要である。彼は、大学寮退学後、無限の智慧をもつ虚空蔵菩薩(こくうぞうぼさつ)に願い、記憶力増強を求める法を身につけたと伝わる。その能力も、自然のなかで磨かれたと考えられている。

そんな彼が、真言密教の奥義を会得するための必要条件は、四国と紀伊半島の自然によってすでに整えられていた。久米寺で『大日経』を発見したとき、幼少期からの自然体験に照らして、その真価をはかろうとしたのではないか。そして、自身の体験に確信をもったがゆえに、命がけの入唐を志すようになったのではないか。唐に渡る直前の延暦二三（八〇四）年、三一歳で奈良の東大寺戒壇院にて戒律を授けられ、ようやく国家承認の僧となり、空海の法号を得たとされる。

空海の世界は包容の世界といえる。儒学、道教より仏教が優れていると説きながら、儒学、道教の意義も認める。その包容力は晩年も変わらず、日本初の私立学校として、京都に庶民の子弟の教育のため設立した綜芸種智院でも儒学教育を取り入れている。こうした包容力は、自然のなかで育まれた貴重な力であろう。

無名だった空海は、入唐に際して『三教指帰』だけを持参したのではない。ふるさとの山野や海をはじめとする列島の自然との交感を携え、大唐帝国を、そして、宇宙をも包み込もうとしたのだ。四国の山野と海にはじまり、大和、紀伊半島、大唐帝国、世界、宇宙へと拡大していくような意識感覚をもったのではないか。虚空や衆生は、それを意味していたのだろう。

二　携行と継承

継承者

二〇年の長きにわたって彼の地にとどまり研究を行うことを命じられた留学生という身分は、七歳年長で還学生（げんがくしょう）の最澄とは何もかも異なっていた。還学生は短期滞在の視察を目的とした高い地位で、遣唐使船第二船に乗った最澄は、中国南東部で東シナ海に面した浙江（せっこう）省の名刹（めいさつ）、天台山国清寺（てんだいさんこくせいじ）までしか訪れていない。

第一船の空海は、当時の大坂湾にあった港、難波津（なにわづ）を延暦二三（八〇四）年五月一二日に出航したが、途中遭難し、福建省福州に漂着したときは出発から約三ヶ月が過ぎた八月一〇日であった。中国のほぼ中央部に位置し、シルクロードの起点でもある都の長安に使節がたどりついたのは、それからさらに四ヶ月以上が過ぎた一二月二三日である。山岳修行で鍛えた空海にとっても、文字通り命がけの旅だっただろう。

しかし、驚くのは長安到着からだ。諸寺を訪ね、師を求めた空海は、翌、延暦二四（八〇五、唐の元号で貞元二一）年五月末から六月初め頃、青竜寺の恵果とめぐりあう。難波津を出てすでに一年以上が過ぎていた。不思議なことにこの異国の新参者に、歴代皇帝に信任され国師とも称された高僧は次々と密教の奥義を授けていく。インドで興った密教を多くの経典漢訳により中国に広めた不空の弟子にして、その正統を受け継ぐ恵果は、千余人の弟子僧を抱えていた。

空海は留学生であるから本来は長期滞在での学修を義務付けられた身である。にもかかわらず、面会してまもない六月一三日に胎蔵界灌頂、七月上旬に金剛界灌頂が授けられた。灌頂とは師が仏法を授け、弟子が受ける儀式で、それによって諸仏と真理を表す曼荼羅に縁を結ぶ。曼荼羅はサンスクリット語（maṇḍala）の音写で精髄を意味するとされる。胎蔵界曼荼羅は母の胎内に子が宿るように、仏の慈悲深いこころが蔵されている世界を、金剛界曼荼羅は金剛石のように堅固な仏の智慧の世界を表す。いずれも図像に描かれ、本尊、大日如来の豊饒な現れを示している。この胎蔵界と金剛界に縁を結ぶ灌頂を授けられた空海は、八月一〇日、ついに最高の奥義と、この世のいっさいを遍く照らす最上者を意味する遍照金剛の密号を与えられ、伝法灌頂を授けられる。恵果が生前、わずか二名ないし六名にのみ認めた正統な継承者となったのだ。高僧は一二月に六一歳で他界し、二人の出会いはわずか半年にすぎない。空海は弟子を代表して恵果の墓碑銘の碑文を撰し、自らこれを書している。

密教は書物で学ぶ顕教（けんぎょう）と異なり、師から弟子へ直接伝授される秘密の教えである。そこでは人と人の一対一の交流が基本となる。仏陀が体得した奥義は、文献のみでは伝えることができないとして、この方法がとられる。七世紀インドで興った仏教復興運動から盛んになった最新の教えを継承した空海は、仏陀の国インドから中国にわたって活躍した金剛智（こんごうち）、また、その弟子で恵果の師である不空によって伝えられた直結の仏法を授けられ、何より大日如来との縁を結んだとの自覚をもっただろう。

空海が携行した自然経験

それにしても、入唐して二年の延暦二五（八〇六）年八月、遣唐副使の船に乗り込み、一〇月に帰国してしまうのだから驚きだ。定められた留学期間を反故（ほご）にし、二〇年の留学が二年半足らずに短縮された。もともと、長安にたどり着くまで七ヶ月、師を得るまでに五ヶ月を要し、恵果から灌頂を授けられた期間はわずか二ヶ月、残りの月日は国にもち帰る請来品（しょうらいひん）の準備や新たな知識習得に明け暮れていたと思われ、このスピードは異常である。中途帰国は留学生にとって死罪になっても文句のいえない明白な違法行為だった。

空海は、最先端の教えを継承したばかりか、これを証明する貴重な品々を、新旧の漢訳経典、サンスクリット語文献、経典注釈書、曼荼羅図像、密教法具、恵果伝来品の六種に大別して『御請来目録』をしたため、唐での留学成果を朝廷に示した。これら、つくられたものは、大陸で花開いた密教文化の、列島における共有と、さらなる展開を可能にする。たしかに、彼ほどの業績を挙げた者はいない。それでも、帰国後、福岡の太宰府や大坂の槙尾山寺に留められ、京の都に入るのを許されるまで三年を要した。留学より国内で都の外に留め置かれた期間の方が長かったほどだ。

この一連の出来事は何を意味するだろう。

やはり空海は、ふるさとの大自然そのものを唐に、長安に、恵果の前に携えたのではないだろうか。それに抱かれ独学で育んだ学問と修行がたしかな準備だったとの確信をもっていたのではないか。恵果との濃密な邂逅は、大学寮を離れてからの一二年間、いや、讃岐で生を受けてからの三〇年間において準備されていた。恵果にはそれが分かったのではないか。

ユーラシアの内陸の人、恵果は、遥か東の、温暖湿潤な群島で空海が眺めた太陽と月が、この世界を、銀河を照らす幻影を見たであろうか。その光と輝きが、密教の本尊や諸仏たちの象徴として、生気を帯びる光景を感知したのではないか。

空海の書と知識と経験のなかには、修行の地の山野での自然、生きもの、悩める人びとのすべての存在が、凝縮して入っていた。彼は、太陽と月に照らされるように、それらすべてに真の救いの光がもたらされることを願った。あるいは、太陽と月の、光と輝きの背後にある不思議な真理を求めることで、独自に見出した、自然、生きもの、人、つくられたもの、人知を超えるものとの共有可能性に賭け、その真理と一体となって悩めるものを見守ろうと願ったのであろう。

三　空の海

空海の法号は空と海を表すのではなく、空(くう)の海だとする説がある。空とは物やこころを実体として見ることを否定する立場をさす。『三教指帰』にも生死海(しょうじかい)という語句が出てくるが、生と死の果てしのない迷いを海にたとえる、仏教経典でよく使われる慣用句だ。つまり、空海とは、この生死海を、空の海に転じる意と解釈することができる。この世の苦しみの世界を、そのまま救いの世界に転じる。すなわち、いっさいを空と見ることによって、あらゆる苦悩を、生死の豊かさを残したまま、取り除こうとする。空海という法号は、こうして生きた身のままに仏になろうとする即身成仏を説く密教の教えに、深い縁をもっているのだ。

そういうことが可能だろうか。迷えるこころには、暗闇の方が親しいかもしれない。しかし、苦しみを乗り越えようとして、いかようにもできないとき、せめていったんその苦しみをストップモーションのように止めて、空の状態にできたなら、少しでも楽になるだろう。そして、わたしたちが眺めることのできる太陽と月のように、その悩める闇を救いの光と輝きで照らしてくれる何かが、ひょっとして世界のどこかに存在するとしたら、ほっとしないだろうか。

空海はその何かと一体となろうとした人だ。彼は高野山に眠っているのではない。四国と紀伊半島の山野と海において、生きとし生けるものの呼び声にこだまし続けている。また、彼の存在と同行二人で遍路の旅を続けるとき、四国だけを巡礼するのではない。生きとし生けるものを思い、宇宙をともに巡礼する。今、自らが立っている大地、眺めている空、そして経験している人生の海が、より広い世界につながっていることを体感する。

千年を優に超える星霜を経て、万燈会は今日も引き継がれている。空海の願文は、文字に記しきれない本当のことばに、生まれては消える言語たちの真のふるさとに、つながっている。

第五章　儒の学、最善を生かす知の実践

一　儒の学

新たなる儒学

近代化、グローバリゼーションがフロンティアを次々に減少させ、資本主義システム、社会主義市場経済が、分断、不平等、環境問題など根本的矛盾を抱え続けるなか、文化伝統としての儒学への関心が持続している。

西欧近代思想、市場経済、マルクス主義を補い、あるいはこれらに足りない指針が求められるためだ。経済軍事大国となった中国での儒学の行方も、日本、韓国、台湾、太平洋対岸の米国、世界全体にとって大きな思想的課題だ。

東アジア経済発展の要因として儒学の知的作用は欧米から関心を集め、近代化の背景に朱子学的思惟の影響をみる論では、教育重視、官僚機構の発達が注目され、近代化、資本主義、市場経済を促進し得た遠因が分析される。いずれにせよ、儒学・朱子学は背景をなす文化伝統として考察される。

また、儒学・朱子学の成立展開過程の実像を明らかにしようと、時代別に思想・思想史研究が進み、近代化以降の政治的バイアスを乗り越え、成果が積み重ねられている。一二世紀宋代の朱子（朱熹〈しゅき〉一一三〇～一二〇〇）らによる新儒学（宋学〈そうがく〉、狭義には朱子学を示す）成立過程、元、明、清の朱子学と陽明学の展開、朝鮮時代の朱子学と陽明学と実学、江戸時代の儒学（朱子学、陽明学、古学、古義学、古文辞学〈こぶんじがく〉）と儒学対抗学（国学）、さらに西欧への宋学の伝播〈でんぱ〉等について、広域東アジアや世界的規模のもとに素描しうるだけの個別研究蓄積が出揃ってきている（吾妻重二「東アジアの儒教と文化交渉」『現代思想［特集］いまなぜ儒教か』二〇一四年、九八－一一三頁）。

大日本帝国崩壊、朝鮮戦争休戦、文化大革命終結ののち、東アジアの経済発展は、比較的自由な儒学研究の進展を促した。ところが、帝国主義、植民地主義、近代主義のバイアスを排した思想・思想史研究を進め、儒学思想の成立、展開を実証的に明らかにしようとすればするほど、現代からは一定の距離が生じてしまう。特定の地理的地域、時代に即した研究をめざすためだ。

そこで、これまでの成果を参照しながら、近代化、資本主義、市場経済に埋没しないオールタナティブな文化、哲学として儒学、朱子学の現代的可能性を探求する試みが欠かせない。

儒学や朱子学を参照し、人の悩み、社会の困難に向き合うことが、どのように可能だろうか。あたかも応用倫理学、臨床哲学、現象学のような、応用儒学、臨床儒学、現象儒学と呼んでもよいアプローチはいかに見つけられるだろうか。

朱子、李退渓（イテゲ）（李滉（イファン）　一五〇一〜一五七〇）、江戸儒者たちは、近代の彼岸に生きている。だが、近代を絶対化せず、オールタナティブを見出そうとするとき、彼らの存在は未来的なものになりうる。朱子、李退渓、江戸儒者たちの実践が、四書五経など儒学の古典の新たな読解、応用を切り拓く、豊かな文化的源泉となる。

時代と国を異にする彼らを、時空を行き来しつつ考察し、三者の学問実践の共通性に着目してみよう。

江戸儒者たちという表現を用いるのは、日本は個性的な儒学者を多数輩出したにもかかわらず、南宋の朱子や朝鮮の李退渓に比肩しうる広がりをもって今日に認知され続ける存在が見当たらないためだ。現代日本人のほとんどが知る人物をあえて挙げれば平安時代の菅原道真だが、天神様、学問の神様として尊崇されても、儒学者として意識されてはいない。

朱子学と反朱子学の応酬が、近世日本の思想全体を豊かにしたという視座からの江戸儒学思想史研究もある（土田健次郎『江戸の朱子学』二〇一四年）。本居宣長の国学を別として、江戸儒者たちと表記するなら、近世期に儒学の影響を受けた学者の多くを含めることができる。

儒の学と挑戦的平和

朱子、李退渓、江戸儒者たちの知の実践には三つの共通点がある。

（一）古典（大学・中庸・論語・孟子の四書、易経・書経・詩経・礼記（らいき）・春秋の五経などで経書（けいしょ）と呼ばれる）に直接向き合い、生活、社会に適用しようと工夫を重ねている。

（二）真理を求め、他の教え（宗教、学問）との思想的格闘を経験し、その対話の過程が学問の自立を促し、それでいて他の教えとの共存を志向している。

（三）国家や官僚制といった公的システムから一定の距離を保持している。

儒という字は、学者、学問を教える人、孔子の教え、儒学者等を意味するとともに、やわらか、やさしい、という字義がある。音符（おんぷ）の需（ジュ）は、雨ごいをする「みこ」や、しなやかの意味があり、そこから、おだやかな人、学者の意が派生した。本章では、これら三つの共通点をそなえた知の実践をシンプルに、儒の学と呼び、同じ発想から、朱子の学、退渓（テゲ）の学、江戸儒者たちの学と表して、彼らの学問、実践の可能性を吟味してみよう。

（一）は、学問の修得と実践に関わる。経書から得られる智慧を、学習、仕事、家庭、社会、経済、政治といった文化全般の幅広い領域に生かそうと努める。その実践は、近代化の洗礼を受けた人文学、社会学、経済学、政治学をはじめとする現代の学知に無批判に追従することなく、理論、解釈に対話を求めるだろう。

（二）は、学問の自立と共存に関わる。禅宗、陽明学など多様な宗教、学問を意識するなかで自らを形成、確立してきた儒の学は、対話を通じて優れたものを取り入れ、和して同ぜずの共存の性格を有している。

江戸日本に比して、朝鮮では仏教や陽明学が抑圧を受けたが、史的展開としての朱子学から視線を転じ、朱子、李退渓その人の学問実践に目を向ければ、他の宗教、学問に接する態度として異なった光景が浮かんで来る。

朱子は、仏教者や他学者を抑圧、排斥せず、自身の時代、社会状況において真理を求めるなかで仏教や他学の優れた面を取り入れ、問題点を見出し、批判的視座を獲得しながら、学問を打ち立てていった。明代の王陽明（一四七二〜一五二八）が教えを継いだことで後に陽明学の先駆者とみなされるようになる陸象山（一一三九〜一一九二）と激しく論争するも、互いに敬意を表し合い、交流を続け、自ら再建した白鹿洞書院での講演を象山に懇請し、象山が亡くなった折には、門人とともに寺院に出向き、哭礼を行っている（三浦國雄『朱子伝』二〇一〇年、二〇七－二〇九、二七九－二八〇頁）。李退渓もこのような朱子の姿勢を受け継いでいるだろう。

（三）は、学問の自由に関わる。政治権力から適度な距離を保持し、民間において研究、教育に励む。

儒の学は、平和を探求する知の実践といえよう。（一）から（三）は学びを通じて共有可能性を求め、見出そうとする。各専門、諸宗教に無関心になることなく、国家機構に随従せず、常に新たな真理を求め、分野横断的に平和を求める課題に向き合う。

安心して生活を営むことが保障される経済的平和、戦争や紛争の懸念がない政治的平和にとどまらず、儒の学が取り組む平和のかたちを挑戦的平和（challenging peace）といえるかもしれない。

常に専門知識は刷新され、諸宗教文化伝統に関わる人びとの母集団の規模や性質は変化し、公私の領域、国際関係も変動していく。それゆえ、柔軟で長期的な生命力をもつ学びの姿勢が大切だ。平和を求めるには、境界領域に立ち上がる分野横断的・越境的課題に挑戦しなければならない。

経済、政治状況を観察、分析し、外的アプローチによって処方箋を与える社会科学にはない、内的アプローチを儒の学は兼ね備えている。常に存在そのものからスタートし、自らの存在に向き合いながら、人としての関係論的アプローチから入っていく。「格物(かくぶつ)・致知(ちち)・誠意(せいい)・正心(せいしん)・修身(しゅうしん)・斉家(せいか)・治国(ちこく)・平天下(へいてんか)」(『大学』)というように、経済的・政治的平和(治国・平天下)の前に六項目を置き、前半四項目はこころの働きに関わる。朱子、李退渓、江戸儒者たちの学は、経済的平和、政治的平和のみを分離せず、存在、自ら、人としての関係論的アプローチに常に立ち戻ることを要請する。そこでは、認知的平和(格物・致知)、こころの平和(誠意・正心)、個人の平和(修身)、家庭内平和(斉家)、国内平和(治国)、国際平和(平天下)が連関している。儒の学の関わる平和は広範囲に及び、領域横断的、越境的で、挑戦的平和としてとらえることができるのだ。

類似する要請は現代の学問にもある。たとえば、経済学では、労働経済学、厚生経済学、経済倫理学、さらに合理的人間モデルでは説明できない非合理な選択行動を心理実験により解明しようとする行動経済学が生じ、国際関係や国単位の研究のみに限定されないばかりか、哲学的、心理的領域に及ぶ。特定学派や専門領域に閉じこもらず、総合的な知を得ようとするなら、領域横断的、越境的な探求が欠かせない。この意味でも、儒の学は、可能性を持ち続けている。

二　独創性、普遍性、独自性

朱子、李退渓、江戸儒者たちの共時性

朱子や先行者たちが出なければ、科挙のための知識習得が中心であった経書の学習は哲学的、心理的に深化されず、実践に応用されることはなかったであろう。朱子は、経書のあり方そのものを変容させた。程頤（ていい）（一〇三三～一一〇七）の後を受けて孟子（孟軻（もうか）前三七二？～前二八九？）を重んじ、また、礼記のなかから大学、中庸を抜き出し、論語と合わせて四書として位置づけた。

そして、李退渓が出なければ、朱子の学は東アジアにおいて真に国際化しえなかっただろう。

異国人であるからこそ適度な距離をもって、朱子が打ち立てた、生きもののような新儒学の全体像と本質をつかむことができた。

この意味で、不朽の名著『アメリカの民主政治』（井伊玄太郎訳、一九八七年〔原著一八三五、一八四〇年〕）をまとめたフランスの政治哲学者アレクシス・ド・トクヴィルが想起される。異邦人トクヴィルによって初めて、アメリカン・デモクラシーの全貌と本質が把握され、理解が国際化された。彼は、一八三〇年代のアメリカを旅し、キリスト教諸派の牧師たちが政治から距離を置きながら教会をコミュニティの拠点として活性化し、政教分離がかえってキリスト教の教えに生気を与えている様を、政治との癒着で生命力を失っているヨーロッパのキリスト教と比較して洞察、分析した（第九章第七節「アメリカで宗教を強力なものにしている主要原因について」）。このように、朱子の学問実践を、一種の「政教分離」として、とらえることができるかもしれない。もっとも、トクヴィルが同時代の合衆国を広範囲に実地見聞できたのに対し、李退渓は、中国を訪れることなく、三七〇年の壁を越え、朱子の学問実践の生命力をつかんでいる。

李退渓によって初めて、朱子の学は国際的に継承された。それは経書の朱子注を科挙受験の知識として学ぶだけでは、受け継ぐことができない。科挙に及第しながら国政から一定の距離を置き、出来うる限り仕官を避けて学問の自立に専心した朱子の道を、他国においてこれほど見事に辿った例を、李退渓以前に見出すことは困難であろう。その号が示すように渓谷に退いて、幅広い感化を及ぼした。

そして、江戸儒者たちが出なければ、李退渓は東アジアにおいて国際化しえなかった。彼らは、科挙が存在しない日本で、朱子と李退渓の歩んだ道に刺激を受けながら、儒の学に専心していった。

反転すれば、経書がなければ朱子がなく、朱子がなければ李退渓がなく、李退渓がなければ江戸儒者たちはない、という関係性が浮かび上がる。

朱子の学は、時空を超えて李退渓に受け継がれることが可能で、退渓の学はその不思議な共有可能性によって形成されている。それゆえに、江戸儒者たちもまた、時空を超えて儒の学を受け継ぐことができたのだろう。

時空を超える儒の学

朱子の学は漢民族特有の華夷思想から出発しながらも、おそらくこれを内在的に克服しうる思想的深化に至っている。そのことは、使徒パウロ（一〇?～六七?）の「ローマ人への手紙」

が、ユダヤ人の民族宗教特有の選民思想を内面から克服する、思想的止揚を達成しているのに似ている。

さらに、李退渓が現れることで、朱子の可能性が、異なる民族、時代の学問実践として実証された。同様に、パウロはユダヤ人であったが、その思想を深く自らのものとする異民族の教父たちが現れたことで、その可能性が実証されることになった。最大の教父アウグスティヌス（三五四〜四三〇）は北アフリカ出身で、ローマ人の父、北アフリカ先住民の母をもつ。彼は、ローマの弁論術、マニ教との思想的遍歴と格闘を経てキリスト教に導かれた過程を、『告白』（三九七〜四〇〇年頃）に詳述している。

李退渓、アウグスティヌスらが登場しなければ、華夷思想を内在的に変容する道学である朱子の主張も、選民思想を止揚する福音にふれるパウロの主張も、国境と時代を超えて本質的に生きられ、定着することはなかっただろう。

朱子の学、パウロのキリスト教の本領は、中華思想、選民思想を内在的に乗り越える思想プロセスの深みにあり、抽象的な民族平等観念とは性格を異にしている。

朱子学、キリスト教も形骸化すれば、内実の伴わない中華主義、浅薄なキリスト信徒選民思想に転落してしまう。しかし、それをもって、朱子やパウロ、李退渓やアウグスティヌスの思想と実践を値踏みすることはフェアではない。切実な生き残りやアイデンティティ保持のためであるとしても、多くの文化、文明に潜在する民族中心主義をいかに乗り越えようとしているのか、その思想的格闘こそ注目されなければならないだろう。

李退渓の魅力は受容と発信の融合にある。江戸儒者たちが影響を受けたのは、この特質であったといえるのではないだろうか。漢人でなく他民族の人でありながら、李退渓は、朱子の学問をもっとも幅広く、深く自家薬籠中のものとしている。しかも、朱子ほど時代を遡らねばならない遠い人でなく、隣国の現存する王朝において少し以前に生きていた近い人物であった。数百年前の朱子を手がかりとした李退渓の孤独な努力に比して、江戸儒者たちは、よりたしかな励みをもって、聖人への道をめざし、あるいは独自路線を行くことができた。李退渓の範例は、自らも自立した儒の学ができるという希望を与えた。

今日、広域東アジアの視野で退渓の学を解明しようとすれば、李退渓が朱子をいかに読み、自らの学問、人生に適用していったかのプロセスと、彼が著した『朱子書節要』（一五五六年）、『自省録』（一五五八年）と『聖学十図』（一五六八年）、及び、そこに述べられている四端七情説にまとめられた哲学論とを相互連関的に考察し、さらに李退渓の著作が江戸儒者たちにどう読まれ、その学問形成に影響したかに関する研究が含まれていなければならない。一国の思想・思想史研究者によっては困難で、国際退渓学のユニークな試みが有志研究者たちによって続けられている。

李退渓の著作は、戦乱や通商により印刷物として招来され、列島でも再版が重ねられていく。これは、ルターが『キリスト者の自由』（一五二〇年）等を著して福音書やパウロの手紙の思想的核心を伝えようと努めた時期と近い。一六世紀から一七世紀東アジアにおける儒学書籍の印刷、普及をヨーロッパにおけるキリスト教書籍のそれと比較することも興味深い課題だ。ヨーロッパで宗教改革が胎動していたときに東アジアでは静かなる儒学革命が始まろうとしていたと、みることもできるだろう。

今を生きる対話篇

師弟、朋友間の対話、交流では、論語的テキスト群と呼べる光景が浮かび上がる。孔子（孔丘　前五五一？～前四七九）と弟子たちの対話、交流が、論語では生動する思想実践のポリフォニーとして記録されているように、朱子にとっての李延平（りえんぺい）のごとき師、陸象山のようなライバル、張南軒（ちょうなんけん）、呂祖軒（りょそけん）のような朋友、弟子たちとの対話、交流が『朱子語類』に収録される。

李退渓と奇大升（ギデスン）、李栗谷（イユルゴク）のような弟子、学友たちとの対話、交流も『自省録』に収録され、藤原惺窩（ふじわらせいか）と林羅山（はやしらざん）、山崎闇斎（やまざきあんさい）と弟子たちの交流も、それぞれが遺したテキストに記録されている。

朱子によって論語を読み、李退渓によって朱子を読むことで、江戸儒者に儒の学が深く理解されたが、今日は、逆に、論語を手がかりに師弟と朋友間の対話、交流を読むことが有益な時代になってきた。

しかし、論語をある程度まで読んでいけば、これを各時代において普遍的、独自的に読み解き、生活実践を積み重ねた先人たちの記録は、かけがえのない人間経験の遺産であることが見えてくる。論語的テキスト群が、論語の周囲に広がり、いずれも豊かなポリフォニーを奏でていることが感知されてくる。

これは、現代人が福音書を読むのにパウロ、アウグスティヌス、ルター、アッシジの聖フランチェスコを意識する必要はないが、くりかえし深く読み、生活と実践の智慧をより豊かに得るには、彼らの経験記録も欠くことができないのと似ていよう。

後世に精緻化された朱子学体系は経書の読み方を縛るが、朱子自身は独創的な読解を実践した。孟子を重んじ、礼記より大学・中庸を独立させ、論語とともに四書とした世界観はその成果だった。朱子の学は、経書の読み方に励ましを与えるものだ。

独創性、普遍性、独自性

朱子に魅了され、その精髄を受け継いだ李退渓の『朱子書節要』、『自省録』は、朱子の学にならった実践記録といえる。

朱子学の記録は『朱子語類』（～一二七〇年）一四〇巻にみられるように膨大だ。李退渓は、そのエッセンスを、時空を超えて受容することで国際化、内省化し、普遍性を高めた。

現代中国で李退渓を読むなら、儒学の普遍性を考え、国家的儒学の限界を乗り越える手がかりを得るという、大きな意義を見出せるはずだ。

中国の国家的儒学、韓国儒学、日本の儒学・反儒学（国学）は、近代化に対応できても、その生命力は、国民国家の内側にとどまる。困難な状況下での固有性の強調には相応の意味があるが、安易な国家主義に結びつくならば、学問実践は形骸化し、本来もっていた生命力まで喪失してしまう。李退渓の実践が内包する国際的、内省的特質は、そうした学術の危機に、静かなる解毒作用を及ぼすものだ。

李退渓の思想は中国に対して朝鮮の独自性を訴える側面が弱いとする指摘があるが（邊英浩『朝鮮儒教の特質と現代韓国――李退渓・李栗谷から朴正熙まで』二〇一〇年、二三二－二三七頁）、逆にその側面が普遍性を高めることに貢献している。朱子の学は、李退渓の影響下に江戸日本に伝わった。

したがって、朱子は独創性、李退渓は普遍性、江戸儒者たちは独自性がもっとも強いという見方が可能だ。三者は、いずれも儒の学の魅力を高めている。

北宋時代に発明された青磁は、南宋で興隆し、半島の高麗に伝わって精錬された。江戸日本はさらに独創的な磁器を産んだが、高麗青磁を生み出すことはなかった。いずれも東アジアの磁器文化を豊かにし、世界的なものとしている。

李退渓の独創性、独自性を説明することが困難なのは、高麗青磁の独創性、独自性を説明することが容易でないのに似ている。しかし、高麗青磁が無二の輝きをもつように、李退渓の学問と人生も不朽の価値を発する。

一時代、一国の思想家が独創性、普遍性、独自性のすべてを兼ね備える必要はない。優れた思想家たちに、それぞれの共有可能性を見出せるのだ。

三　最善を生かす知の実践――朱子「白鹿洞書院掲示」と李退渓『自省録』

退渓の学はいかに普遍性を高めているか

李退渓の内省的特徴として、事物の理を窮める窮理に比べ、こころをつつしみの状態に保つ居敬を、朱子以上に重視していること、四端七情論争の端緒となったように、理という、人倫と宇宙を貫く根本原理の能動的発動にこだわり続けたこと、天の観念を強調していることなどが指摘される。李退渓が、朱子や後代の中国の朱子学者に比べて、どれほど独創的、独自的といえるかについても議論が続けられている。

しかし、思想内容にのみ着目して学の特質を解明するには一定の限界があり、むしろ、李退渓の敬、理、天を、儒の学の普遍性を向上させた生動的観念としてとらえる視点が重要ではないか。

退渓の学の普遍性は、著述と学問実践の総体として理解可能だろう。

朱子の著作は、朱子の没年に日宋貿易で通じていた室町時代の日本に、半島に先駆けて伝えられ、宮中、禅寺や博士家では朱子注も読まれた。しかし、朱子の学の実践的スタイルは移植され得なかった。

それが李退渓という実例を得て普遍化されたことが、東アジアの知的世界の形成に重要な影響を与えた。敬、理、天などの観念も、いっそう内省化、普遍化された。居敬の実践者は漢族でなく、仁義礼智は、より確実に時代、国、民族を超えて理より発し、冊封（さくほう）体制の下であっても天を観念するのに問題は生じない。こうした敬、理、天の理解は、江戸儒者たちに大きな刺激を与えたはずだ。

だからこそ、山崎闇斎は李退渓に心底から私淑し、その学を体得した後、日本の風土に根ざした神道の世界に分け入ることもできた。敬、理、天などの観念が李退渓において中国の風土に根ざした精神伝統から離れてさらに抽象化、普遍化されているために、独自の学の展開が可能となっている。

江戸儒者たちにとっては、朝鮮朱子学において十分なリアリティをもって展開され続けた四端七情論争（仁義礼智につながる惻隠（そくいん）・羞悪（しゅうお）・辞譲（じじょう）・是非（ぜひ）（四端）と広く心情の動きである喜怒哀懼愛悪欲（きどあいくあいおよく）（七情）について、朱子学の基本概念である理と気との関係を明らかにしようとする論争）は刺激を与えず、抽象度が上がり、より普遍化された理の観念そのものが魅力的だっただろう。その反作用として、本居宣長の独創的国学が登場する遠因にもなったのではないだろうか。

李退渓の影響は、表面からは容易に判別できないかたちで日本の近世知の諸相に及んでいると推測できる。

藤原惺窩は、師である李延平と朱子の交流記録『延平答問』(一一六三年)を弟子の林羅山に授けているが、その刊本には李退渓のあとがき(跋文)が付されている。こころの修養を重んじた李延平の思想が朱子に影響を与え、李退渓、藤原惺窩のこころを動かしたということだ。惺窩は禅僧であったが、豊臣秀吉の慶長の役で捕虜となり列島に移送された儒学者、姜沆との交流を重ね、僧服を脱ぎ、儒学者に転じた。徳川家康に仕官を求められたが門弟の羅山を推挙、自らは固辞し、権力者から距離を保っている。

山崎闇斎は、李退渓が『自省録』で解く「白鹿洞書院掲示」(一一七九年、後世に白鹿洞書院学規とも)の解釈に深い影響を受け、『朱子書節要』の文章を上書きするように『白鹿洞学規集註』(一六五〇年)を書いた(阿部吉雄『日本朱子学と朝鮮』一九六五年、二四二頁)。

朱子が白鹿洞書院に学ぶ学友たちのために編んだ掲示は、学問の目的に、父子の親、君臣の義、夫婦の別、長幼の序、朋友の信、の五つを挙げ、学・問・思・弁・行という五つの実践を示し、身を修め、事に処し、物に接するあり方を、シンプルに明示する。

現代では、父子は親子、君臣は組織のリーダーとメンバー、夫婦はパートナー、長幼は人生の先輩と後輩、朋友は友として、それぞれ、親しみ、正義、人格尊重、秩序、信頼を見出すと解釈することで、人と人の関係可能性に深く配慮した、学びの哲学であることが伝わってくるだろう。

ここで、五教とは人の守るべき五つの教えで五倫ともいい、堯（ぎょう）と舜（しゅん）は理想的帝王、契（せつ）は殷（いん）王朝の祖とされ、いずれも中国古代の伝説上の人物、司徒（しと）は教育等をつかさどった官名である。

白鹿洞書院掲示

父子は親あり　君臣は義あり　夫婦は別あり
長幼は序あり　朋友は信あり

右は五教の項目である。堯と舜が契を司徒とし五教を敬して敷いたのはまさしくこれである。学ぶ者はこれを学ぶのみ。これを学ぶ順序も五つある。その区別は左の如くである。

博（ひろ）くこれを学び　審（つまび）らかにこれを問い　謹（つつし）んでこれを思い
明（あき）らかにこれを弁じ　篤（あつ）くこれを行う

右はこれを学ぶ順序である。学、問、思、弁の四つは、それゆえ理を窮めることである。篤くこれを行うことは、身を修めることから、事に処し、物に接するにいたるまで、また各要点がある。その区別は左の如くである。

言は忠信、行いは篤敬　忿りを懲らし欲を窒ぎ、善に遷り過ちを改む。

右は身を修める要。

義を正して、利を謀らず　道を明らかにして、功を計らず

右は事に処する要。

己の欲せざるところ、人に施すこと勿れ　行いて得ざることあれば、反りみてこれを己に求む

右は物に接する要。

白鹿洞書院掲示

父子有親　君臣有義　夫婦有別
長幼有序　朋友有信

右五教之目堯舜使契為司徒敬敷五教即此是也学

者学此而已而其所以学之之序亦有五焉其別如左
博学之　　審問之　　謹思之
明弁之　　篤行之
右為学之序学問思弁四者所以窮理也若夫篤行之
事則自修身以至于処事接物亦各有要其別如左
言忠信行篤敬　　懲忿窒慾遷善改過
右修身之要
正其義不謀其利　明其道不計其功
右処事之要
己所不欲勿施於人　　行有不得反求諸己
右接物之要
（朱熹『晦庵先生朱文公文集』巻七四之五、胡岳校訂、明刊本、林羅山旧蔵。筆者により旧字を含む異体字を常用漢字に改めた）

李退渓は『自省録』で、この掲示に哲学的、政治的観念が説かれていない理由を、門人の黄仲挙(ジュンゴ)に懇切丁寧に説いている。

治については、心を存して治を出すという根本だけを論じて、制度や文物に関しては、孔子が顔回に告げたような所まで論及しないのは、何故でしょうか。

（中略）

聖人は、天下の英才をたぶらかして、初学の時期に、（学問レベルの）段階を飛び越えて、教示するようなことは決して行いません。また、朱子先生の学問には、全体大用がすべて具わっていますが、学ぶ者のために学規をたてるに当たっては、特に五倫を根本として、（これを体認自得するために）為学の順序を述べ、（致知から始めて）篤行の事で終わっています。道体の全体には言及しない、これが孔門の遺意であり、先王の教法です。博学より以下は致知のことであり、篤行以下は力行のことです。この知行の両面から、天下の士を養成したのです。理（の究明）は精粗の一方だけというのではなく、粗より精に至ることができるのです。言語は形而下の具象も形而上の抽象もすべて包括しており、下学して上達に及ぶのです。人びとが河の水を飲むのは、それぞれの分量を充たすようなものです。高きは

> 聖人賢者となり、下っては善士となるが、皆、その学をこの学規によって得ることができるのです。
>
> （李退渓『自省録』難波征男校注、二〇一五年〔原著一五五六年〕二七六―二七七頁）

李退渓の洞察は、哲学的、政治的観念を含まない、イデオロギー化しにくい「白鹿洞書院掲示」の真価を認めた。日本では闇斎を端緒として、「白鹿洞書院掲示」は、江戸時代の多くの藩校、書院、私塾などで掲げられ、甚大な影響を及ぼしたという。藩校や民間学校で独自に七十余種が出版されるなど、各地に普及していった（阿部吉雄『日本朱子学と朝鮮』一九六五年、二八二頁）。

朱子は、孟子、中庸、易、論語、董仲舒（とうちゅうじょ）の格言を統合して「白鹿洞書院掲示」を記すという独創性を発揮したが、李退渓は、時代と国境を越えてその意義を深く洞察することで普遍性を付与した。そして、列島の近世教育は、自由にこれを取り入れ、多様な独自性を示した。「白鹿洞書院掲示」を考察するには、朱子、李退渓、江戸儒者たちのいずれも欠かすことができない。

今日、時代と国境を越えて通用した学問実践哲学として、その真価を再発見できる。明治日本の教育勅語が「白鹿洞書院掲示」のプロットを借用しながら、いかにその精神を喪失したか

ご購読ありがとうございます。このカードは、小社の今後の出版企画および読者の皆様とのご連絡に役立てたいと思いますので、ご記入の上お送り下さい。

〈書　名〉※必ずご記入下さい

●お買い上げ書店名(　　　　地区　　　　書店　)

●本書に関するご感想、小社刊行物についてのご意見

※上記をホームページなどでご紹介させていただく場合があります。(諾・否)

●購読メディア	●本書を何でお知りになりましたか	●お買い求めになった動機
新聞 雑誌 その他 メディア名 (　　　　)	1. 書店で見て 2. 新聞の広告で (1)朝日 (2)読売 (3)日経 (4)その他 3. 書評で (　　　　紙・誌) 4. 人にすすめられて 5. その他	1. 著者のファン 2. テーマにひかれて 3. 装丁が良い 4. 帯の文章を読んで 5. その他 (　　　　)

●内容	●定価	●装丁
□ 満足　□ 不満足	□ 安い　□ 高い	□ 良い　□ 悪い

●最近読んで面白かった本　(著者)　　　　(出版社)

(書名)

㈱春秋社　電話 03-3255-9611　FAX 03-3253-1384　振替 00180-6-2486
E-mail:info@shunjusha.co.jp

郵便はがき

料金受取人払郵便

神田局
承認

1743

差出有効期間
2023年12月31
日まで
（切手不要）

101-8791

535

千代田区外神田
二丁目十八—六

春秋社

愛読者カード係

＊お送りいただいた個人情報は、書籍の発送および小社のマーケティングに利用させていただきます。

(フリガナ) お名前	歳	ご職業
ご住所 〒		
E-mail 小社より、新刊／重版情報、「web 春秋 はるとあき」更新のお知らせ、イベント情報などをメールマガジンにてお届けいたします。	電話	

※新規注文書（本を新たに注文する場合のみご記入下さい。）

ご注文方法 □**書店で受け取り**		□**直送(代金先払い)** 担当よりご連絡いたします。	
書店名	地区	書名	冊
			冊

も重要な問題である。

長期にわたり禅宗が政治と緊密に結びついていた日本では、精神の独立を確立する上で、禅宗との思想的格闘を経て成立した朱子の学は大きなヒントを与えた。さらに、官僚的儒学から距離を置いた退渓の学は、科挙制度そのものが導入されたことがなく、官僚への登竜門が開かれていない江戸日本において、いっそう根元的な刺激を与えたはずだ。

最善を最善として生かす知の実践

朱子、李退渓の学問遺産には、いかなる状況下でも生命力を保ち、生き延びる特徴がある。南宋は滅んでも元が科挙制度を導入した際、朱子注は取り入れられた。成均館（ソンギュンガン）が廃止され、教育機関としての機能をもたない経学院（けいがくいん）が総督府により設置された日本統治下でも、李退渓には敬意が払われ、日本人学者による研究も進められていた。

戦前の日本人学者による李退渓研究は、重要な内容を含んでおり、この時期の研究がなければ江戸時代から停止したままとなったであろう。現代の日本社会では、朱子や李退渓の学問実践を知る機会自体、希少になっている。大日本帝国時代の李退渓研究を批判するにせよ（井上厚史「近代日本における李退渓研究の系譜学——阿部吉雄・高橋進の学説の検討を中心に」『総合政策論叢』第一八号、二〇一〇年、六一－八三頁）、内容に即した評価を与えるにせよ（高橋亨『高橋亨——朝鮮儒学論集』二〇一一年）、中国的儒学の展開など、儒学と国家の関係を視野に入れた、より広い今日的問題に接続されるべき先行研究として参照できる。

　近代以降、日本では、福澤諭吉、内村鑑三、帝国大学退官後の西田幾多郎、柳田国男（やなぎたくにお）、柳（やなぎ）宗悦（むねよし）、賀川豊彦（かがわとよひこ）のような思想家が民間にとどまり、国家的学問から距離を置きながら新たな学問や実践を打ち立て、社会を啓蒙し、新たな世代を養成している。儒の学の最良の精神は、儒学以外の分野で活躍した思想家たちに、もっともよく受け継がれたとみることができる。ならば、これら思想家たちと、朱子、李退渓の学問姿勢の比較も、興味深い課題といえよう。

　神学者、思想家として活躍したイヴァン・イリイチの、没後刊行された最後のインタビュー集で、印象深く語られる言葉に、「最善の堕落は最悪」（ラテン語原句 *corruptio optimi quae est pessima*）という警句がある（イバン・イリイチ『生きる希望——イバン・イリイチの遺言』臼井隆一郎訳、二〇〇六年〔原著一九九二年〕、一一八、三〇三、三四六頁）。善から発したものが制度化し、やがて自律を欠いた依存へと転化することを意味する。イリイチは、カトリックの歴史をこの警句で直視し、人種の違いにとらわれず愛の実践を行う、良きサマリア人のたとえにこだわりながら、官僚化したカトリック世界を内在的に批判する。

官僚機構や神学の全廃は非現実的で、そうした主張をしているわけではないが、現存の官僚機構や所与の神学の内部でのみ生き、学問をするのでは、キリスト教の生命力は途絶えてしまうという危機感を、彼は痛切に抱いていた。

南宋が滅んだ後、科挙制度の中で保存された朱子の学問が、その生命力をもっとも理想的なかたちで取り戻すには、李退渓のような人物が出なければならなかった。

中国では、一九八〇年代以降、現代新儒家が浮上し、「儒学の創造的転化」（杜維明）、「伝統文化の転換的な創造」（李沢厚）、「文化的儒学」（甘陽）などが論じられ（譚仁岸「儒学の「創造的転化」――八〇年代中国の近代化問題と関連して」『現代思想［特集］なぜいま儒教か』二〇一四年、一二七―一三九頁）、儒教国教化論、儒教市民宗教論が唱えられ、伝統復興ブームが興った。その一方で、共産党員の総数を上回る推定一億人ともされるキリスト教徒も誕生している。

中国とアメリカに限らず、東洋と西洋の関係を考えるとき、儒学とキリスト教の文化伝統が良好な関係性を育むことは、重要だ。さらに、仏教やイスラームなどの諸宗教も共存していくことが大きな課題である。中国の国学としての儒学と、欧米の教会機構や神学に規定されたキリスト教とが衝突しないよう、知恵の蓄積が欠かせない。政教分離もその要であるが、既存の経験では対応しきれない状況がこれからも生じてくるだろう。

数ある儒学のなかで、朱子、李退渓、江戸儒者たちの学問実践に学ぶ儒の学は、キリスト教や他の諸宗教との対話、共存に重要な示唆を与えるのではないか。

彼らのような立場によってこそ、仁の思想と、和して同ぜずという論語の言葉が生命力を回復するのではないか。その儒の学に、わたしたちはキリスト教や他の宗教文化伝統、現代思想との、平和的な対話者を見出す。

儒の学の経験と智慧は、二一世紀の平和を考える上で、欠かすことができないものといえよう。

第六章
賀川豊彦と協同組合（コオペラティブ）

一　未来を照らす

未来的な人

この人の事績を追っていくと、すぐに圧倒的なトピックの渦に飲み込まれてしまう。二一歳で神戸のスラムに住み、運命に翻弄される老若男女と苦楽を共にした。希望を求め、どん底のなかからアメリカのプリンストン大学に留学し、自然科学の勉強にも打ち込んだ。スラムに入っていくまでとスラムでの生活を描いた自伝的小説『死線を越えて』（一九二一年）が大正デモクラシーを象徴する空前の成功を遂げる。

同時期にマルクスの唯物論経済学と逆の発想から『主観経済の原理』（一九二〇年）を著（あらわ）し、

戦前最大の労働運動となった三菱・川崎造船所労働争議の指導者の一人として非暴力的な実践に徹した。全ての印税を困窮者の救援と社会事業に注ぎ、農民による自発的な日本初の全国組織、日本農民組合を杉山元治郎らと結成した。医療や消費など数々の協同組合（cooperative）の実験を始め、関東大震災発生時には、もっとも被害が大きかった隅田川東岸の本所を拠点として救援と復興活動に精根を傾けた。

世界恐慌以降の閉塞状況下、請われてアジアと欧米の数百都市を訪問し、友愛の経済（Brotherhood Economics）を唱え、自発的な協同（cooperation）の可能性を説き続けた。日米戦争回避を希い、民間人としてフランクリン・ルーズベルト大統領と直接会談した。太平洋戦争中、警察と憲兵隊の取り調べを受け、著しく活動範囲を狭められたが、戦後一五年間、焼け野原と化した日本の復興のため、農業、漁業、医療、消費者の協同組合の再興、国民健康保険、共済事業の整備など、衣食住の広範囲にまたがるセーフティネットの構築に尽力した。原子爆弾を手にした人の存在を憂い、平和のための国際社会の仕組みを世界連邦制に求め、最先端の声を結集しようとした。

日本から初めてノーベル文学賞、同平和賞の候補者にもなるなど戦前、戦中、戦後を通じ、海外でもっとも敬愛された日本人の一人といえよう。

賀川豊彦が飛び込んでいったのは、ほとんどが未踏の領域だった。彼の人生をふりかえる者は、起こった歴史を、すでにできた道程をたどっている。しかし、それだけでは、この人を理解することは難しい。

インド独立の父マハトマ・ガンディーの非暴力はアメリカの公民権運動の指導者マーティン・ルーサー・キング・ジュニア牧師やアパルトヘイトに抗したネルソン・マンデラ等に受け継がれ、世界中の平和的な社会運動に影響を与えてきた。カトリックの修道女マザー・テレサは、その愛の霊性で世界の孤独な魂を慰め続けている。賀川もどこか、そのような普遍性を帯びた存在だ。

もっとも、偉人の行程には理解しにくい面がともなう。ガンディーは活動の初期、大英帝国に忠誠を誓い、ボーア戦争に、負傷兵を救護する救急隊を組織して参加したことがあった。マザー・テレサは、人工妊娠中絶への批判によってリベラルな女性たちを混乱させた。賀川豊彦もスラムの人びとやハンセン病者に先駆的に向き合い、太平洋戦争後にも存命したことで、その言動について後世の目から厳しい批判にさらされる側面があった。

しかし、賀川豊彦は日本の近代を明るくしてくれる存在だ。

ガンディーは非暴力、マザー・テレサは貧しいなかのもっとも貧しい人びと、シュバイツァーは生命の畏敬、アインシュタインは相対性理論、宮澤賢治は雨ニモマケズ……。世界に永遠の何かを残した人格は、シンプルな言葉によって深く胸に刻まれ、わたしたちの精神の共有遺産となる。

賀川も彼らに並び称せられるべき人だ。しかし、まだ、彼をこころに刻み、未来につなげるのにふさわしい言葉が用意されているとはいえない。それは、彼があまりにも総合的な、多方面に活動した人で、霊性をたたえた人物としては、頭脳が明敏にすぎたせいかもしれない。

闇と光

誰があの時代、日本で最大といわれたスラム地区に進んで入っていくことができただろう。そこに住み、死をもいとわぬ苦心を重ね、困窮する人びとと泣き、笑いながら生活することができただろう。運命にひきずられるように近代社会の矛盾のただなかに飛び込んで、自らの命を賭けることになったのだ。

彼の言葉には力が宿った。それが『死線を越えて』が成功した最大の理由ではないか。神戸新川(しんかわ)での生活に基づき、彼の理性と心情は、ほとばしる言葉を生み出した。大正時代最大のべストセラーの力は絶大で、累計四〇〇万部を売り、改造社は一大資産を築いた。社長の山本実彦（さねひこ）は社会還元として、世界的に著名な哲学者バートランド・ラッセル、理論物理学者アインシュタインを日本に初めて社費で招聘（しょうへい）し、また、同社の総合誌『改造』には谷崎潤一郎、志賀直哉など一流の文士が寄稿するようになった。一九二一年のこの日本出版界の異変は、賀川の言葉に日本の大衆が反応したことで生じたものだ。

『死線を越えて』を生み出した賀川豊彦と、無数の求める魂をこころに浮かべるとき、熱い何かが込み上げてくる。一〇〇年前の世界を思い、時代の壁を飛び越えて、そこにあった希望を二一世紀につなげたい情熱が湧いてくる。

賀川豊彦は、近代を明るくしてくれる存在だ。彼を支えた無数の仲間たちや無名の人びとを思えば、その明るさはさらに増してくる。

彼が感知した奥義、それは、人と人が自発的に力を合わせることによって生み出される、新たな共有可能性の潜在力ではないか。その奥義を、彼は、自然、生きもの、人知を超えるものが支えてくれると深く信じていた。賀川豊彦の生のかたちが、二一世紀においても欠かせないのは、そのゆえだ。

二　孤独と力

徹底的な孤独が変化する不思議

彼は少年期にキリスト教の洗礼を受けてクリスチャンになった。しかし、愛の実践のために身を捨ててスラムに入っていったと説明するなら、短絡的であろう。内村鑑三、新渡戸稲造、新島襄（にいじまじょう）といったクリスチャンたちも、賀川のような行動はとっていない。

世界のクリスチャンと比べても、その行動は一風変わっていた。たとえば、マザー・テレサは、自分を含むシスターたちの寝起きの場をきちんと別に定めての活動だったが、七〇〇〇人が住んでいたとされるスラムの真ん中で、彼は一九〇九年一二月二四日に生活を始めた。

彼は美しいものが好きな人だった。世間的な成功に対する野心ももちあわせ、学力もきわめて優秀だった。小柄ではあるが両親ゆずりの端正な顔立ちで、女性たちに気に入られることもできた。しかし、実家の破産を経験し、不治の病であった結核にも冒され、世間的な幸せも成功も、若くして諦めざるをえない境遇に追い込まれた。余命いくばくもなしと医師に告げられたとき、子羊が屠場につれていかれ、宇宙空間の物質がブラックホールに吸い込まれていくように、スラムでの生活を選び、入っていった。

彼は大変に孤独な人だった。神戸の海運問屋で生まれたが、幼少期にあいついで実母と実父に死に別れ、母が妾(めかけ)であったというこころの傷をもっていた。伝統の藍(あい)で財をなした徳島の賀川本家も、安いインド産品やドイツの化学染料が押し寄せる近代資本主義の波によって没落し、長兄の事業失敗で破産、姉や弟たちと離れ離れになった。そんな彼を、家族のような愛で包んでくれたのが二人のアメリカ人宣教師、ローガンとマヤスだが、結核の病魔は彼の身体を蝕(むしば)み、こころと身体を追い詰めていった。

彼は、近代人が経験しうる深い孤独を奥底まで味わった人だ。近代化にともなう矛盾を闇の底まで経験し、そこから不死鳥のように蘇って、平和への道を見出した先駆者。徹底的な孤独が共有可能性を帯びた想像力に変わる不思議。これが賀川豊彦の魅力と新しさだ。

分け、合わせる力の源泉

共に泣くことならあるだろう。不幸や哀しみを背負った人にこころ動かされ、耐え生きようとする気概に共感して涙することなら。だが、涙を分けることなど思いつくだろうか。ケーキを分けるように二等分することなど。

『涙の二等分』（一九一九年）——賀川豊彦に、珍しい名前の初詩集がある。『死線を越えて』の二年前、彼がそこまで名が知られなかった頃、歌人、与謝野晶子が絶賛して長文の序文を寄せた。その冒頭に揚げられた同名の詩に目をとめてみよう。

流れ落ちる涙は個人の身体から出てくる。生命に不可欠な塩をふくんだ水は、悲しいときにも、うれしいときにも感情のスイッチが入ると両目からこぼれ落ちてくる。すぐに蒸発して乾いてしまう涙を、二等分などできるだろうか。共に泣いてくれる人がいるだけで、どれほどなぐさめられることか。

しかし、人には泣けないときもある。感情がこわばって、死んだようになって、あるいは誇りがじゃまをして、涙をゆるせないときがある。人はいかに繊細な生きものだろう。

おいしが泣いて、
目が醒めて、
お襁褓（むつ）を更へて、

乳溶いて、
椅子にもたれて、
涙くる。
男に飽いて、
女になつて、
お石を拾ふて
今夜で三晩、
夜晝なしに働いて、
一時(ひととき)ねると、
おいしが起す。

（中略）

貰ひ子殺しの、
殘しの、

干し損ねられた、
この梅干の實

（中略）

（賀川豊彦『涙の二等分』一九一九年、一－四頁　晝など旧字体ママ）

貰い子殺し、とは望まれない境遇で生まれた赤ん坊が、ある引き受け金で数々の人の手に渡り、最後に、もっともわずかの金額を受け取ったスラムの住人が、餓死させてしまうことを承知で貰い受けることをいう。

『え、え　おいしも、
可哀想じやが、
私も可哀想じや、
力もないに、こんなものを、
助けなくちやならぬと、

教へられた、
私――私も、
可哀想じやね』

（中略）

あ？　おいしが唖になつた、
泣かなくなつた、
眼があかぬ、
死んだのじや、

（中略）

おい、おいし！
おきんか？

自分のためばかりじなくて
ちつと私のためにも、
泣いてくれんか？
泣けない？
よし……
泣かしてやらう！

（同、七―九頁）

資本主義の連鎖の負の極として、この悲惨を知った賀川は、なんとかして赤ん坊を救おうと養育を試みる。しかし、生命のしるし、涙も失われ、子供の命は尽きてしまう。

スラムは単純な貧しさの国ではなかった。近代になって地球大の資本主義の圧力は、海に面したのどかな農村に、膨張する港湾都市を出現させ、そこに流れこむ商品は、伝統産業を疲弊させた。農村で仕事を失った人びとは職を求めて都市に出、船荷の積み下ろしなどの危険な労働に従事せざるをえない。景気変動による失職、病気やけが、精神の荒廃などで保障なく賃労働ができなくなれば、物乞いや窃盗、ヤクザ稼業、売春などでしか生きていけず、住む場所を追われる。都市全域で伝染病が流行する事態を避けるため、行政は、貧しい人びとを集中させ、住める領域を区切ってしまう。この悪循環からスラムが生じ、流れ着いた人びとは抜け出ることができない。こうして貧困、農村、労働、都市、環境の問題が資本主義の闇として絡み合い、スラムのなかにもっとも暗い影を落とす。

　現代社会でも生活難民や孤独死が、また、日本のみならず韓国や中国でも自死が跡を絶たない。北京では、冷戦時代の名残（なごり）の地下シェルターに住む人びとが百万人に達するという。多くが、農村から仕事を求めてやってきた若者や労働者で、従来の防空壕（ごう）を小スペースに分け、かろうじて大都市での住処（すみか）を確保している。このような現状をどう解決したらいいだろう。いかなる行政担当者や専門家も尻込みする難題だ。

　しかし、どのような状況下でも、人は、何か大切なものを分け、合わせることで、新しい世界を垣間見ることがあるのではないか。

　　お石を抱いて、
　キツスして、

顔と顔とを打合せ、
私の眼から涙汲み、
おいしの眼になすくつて……
『あれ、おいしも泣いてゐるよ
あれ神様、
おいしも泣いてゐます！』

（同、一一－一二頁）

泣かなくなった赤ん坊に自分の涙を分けると、息をひきとったばかりの目頭で、命の水が揺らめいた。泣いて意思を表し、育つのが赤ん坊だ。だから彼は、涙を分けた。一瞬、彼の涙は赤ん坊の涙になった。年も境遇も異なる二人の尊厳が、ここで同時に満たされるように。

分け、合わせられるのは、涙だけではない。

本来わたしたちが人としてもっているもの、もつべきものならば、その多くを分け、合わせることができるのではないか。涙の二等分は、この想像力の象徴といえる。医療、保険、労働、農業、漁業、消費など多方面にまたがる協同組合を育て、常に新たな社会システムを探求し続けた彼の想像力は、人の本来的持ちものを自由なこころで分け、合わせることで生まれる創造性に、その源泉をもっていたのだ。

三　自然、生きもののなぐさめ、愛の放射

東洋の使徒

フランシスコ・ザビエルは東洋の使徒といわれた。しかし、賀川豊彦こそ、そう呼んでいい人物かもしれない。彼ほど数多くの港をまわり、日本全国と世界各地を旅し、平和な魅力あふれる社会のビジョンを説いて、実践を続けた作家にして社会事業家、宗教者はおそらくいない。

賀川にとって、ふるさと徳島の海は、幼くして両親を亡くしたこころを慰めてくれる遊び場。海洋学者レイチェル・カーソンのいう、驚くことの感性（センス・オブ・ワンダー）（sense of wonder）を身につけ、美を学

ぶ学校であった。少年期には海に潜り、精神のなかに沈潜することを覚えた。障害物がなく、摩擦が少ない海上より、無限の豊かさに満ちた海底にひかれた。海は、自然研究と瞑想の場となった。

生誕の地、神戸と、成長の地、徳島を海が結びつけていた。港は開かれた世界の啓示となってアメリカ人宣教師たちと徳島で出会い、海の向こうから来た福音に出会った。それは文明世界の圧倒的な物流にかき消されやすい、か細いささやきだ。

そして、海底に思いがけず美しい貝を見つけるように、精神の沈潜によって、生きいきしたイメージや言葉、アイデアを拾い出してきた。意識の壁を打ち破り、新たな社会協力のかたちを編み出しては、その有効性を試し続けた。

賀川のメッセージは、新たなる発見と発明、思いやりの愛によって、人が何ものかを分け、合わせることで、平和に発展できる社会をつくっていこうとする、意識の覚醒を求めるものだった。

自然、生きものにふれるなかで、未知の世界への驚きが生まれる。その驚きが発見と発明の原動力だ。正しく導かれた研究の知識と技術は、人の生活を豊かにできると彼は信じた。愛は、人知を超えるものから彼が受け取った音信であった。これは、ときに自分の身をかえりみないほどに他なる存在につくそうとし、そうすることで、不思議な逆説として、自らが真に意としたところが達成される作用であろう。

想像力による協同組合

青年賀川は、スラムで、数々の悲惨に翻弄されながらも、助け合いの気持ちをこころに宿した貧しい人びとの生き様にふれる。生存競争のみならず、共助の現象が自然界にも見出されることを独自に研究していく。日本や世界で、近代の協同組合につながる助け合いの仕組みやネットワークが試みられてきた史実に眼を見張り、つくられたものとしての協同組合の可能性に目覚める。自然と人の社会を共に眺め、いたるところに協同の萌芽を発見する。行き詰まった人の社会に愛の熱をもち込むことによって、新しい協同の仕組みを次々に発見、発明でき、これを有為なものに育て上げうると信じた。

彼は、遠くのもの同士が結びつくとき、そこに搾取、恐慌、戦争が立ち現れないような関係性をつくることを考えた。海は離れている人びとや文化、文明を接近させる。そのときに、何によって出会い、結びつくのか。破綻を求めないならば、自発的な思いやりの愛と想像力に満ちた協同のかたちによらねばならない、それが賀川の信念となっていった。

それゆえに、彼は、国際的な協同組合ネットワークを志向し、協同組合貿易や国際金融支援の必要性を主張した。共有可能性の経済が、身近なところから世界にいたるまで、探求し、試行されるべき課題だった。さらに、風力発電、温暖化と乱開発への警鐘など、今日の環境問題に直結する視点からの発言も、戦後いち早くなしている。

彼がもっとも力を注いだ、人びとの自主的なつながりに基づく協同組合は、一八四四年イギリスのロッチデール公正先駆者組合を発祥とし、各国の歴史や文化を背景に発展して、世界最大のＮＧＯともいわれるまでになっている。世界人口の一二パーセント以上にあたる一〇億人以上が三〇〇〇万の協同組合に属し、世界の雇用人口の一〇パーセントに及ぶ二億八〇〇〇万人に仕事や就業の機会を提供している。二〇二一年の年次調査報告書（*World Cooperative Monitor 2021*）では、最大三〇〇協同組合の総売上高は、二兆一八〇〇億ドル（二〇一九年財務データ）で、イタリア、ブラジル、カナダといった有力国のＧＤＰにも相当する。

賀川は、自身を育んだ瀬戸内海の美と神秘を愛してやまなかった。空海を唐に携えて密教をもたらし、朱子や李退渓の学を伝えた海でもある。『死線を越えて』の大成功で得た資金により、改造社が初めてアインシュタインを日本に招聘したとき、この九歳年長の世界的物理学者を、彼は瀬戸内海に面した須磨海岸の散歩に連れ出している。賀川にとっても、瀬戸内海は、世界とひと続きの海だった。

新たなる協同組合の構想を、賀川は、常に自然、生きもの、人、つくられたもの、人知を超えるものに学ぶことで引き出してきたのだ。

愛の放射

賀川豊彦は、息をひきとるとき、昏睡状態から急に目を見開き、にこやかに童心の微笑で無言の挨拶をし、天を仰いで祈るようなまなざしで、そばにいる家族、友人、居合わせた人たちに頭をめぐらせていった。これが七二年間の生涯における最期のことばだ。全身が何らかの愛を語っていた。赤ん坊は、言葉なくして、母親にとびきりの笑顔で生まれてきた喜びを語る。別れに際し、賀川は、この世そのものに笑顔で喜びのことばを発したのかもしれない。

彼は、胸をつき動かされるような、恋い焦がれる乙女のような情熱で、自然、生きものを愛した。彼の孤独をなぐさめてくれた、生きとし生けるものにもこころのなかで微笑みかけたにちがいない。

彼は、人が自由な立場で、良い関係をつくり続けることができると、その想像力を信じていた。虫たちの共生の姿を描き出したファーブルの『昆虫記』を日本に初めて紹介（一九一九年）し、自然、生きものは、そのような人の教師であり、パートナーであると信じ、『魂の彫刻』（一九二六年）という教育論まで書いた。そして、自然、生きもの、人を包み込む、人知を超えるものの愛の作用に賭け続けた。

自然、生きもの、人、つくられたもの、人知を超えるものの間でしかるべき関係性を見出し、想像力を働かせて美しい世界をつくり出すこと。賀川豊彦は、いつもそれをめざしていた。そのために必要な愛の放射を受け、様々なかたちで伝えることができる人だった。彼の最期の挨拶は、その愛の放射の証明であり、励ましだったのかもしれない。

賀川豊彦は、近代における共有可能性の想像力の宝庫だ。

生なるコモンズと
共有文化、共有文明

第七章 現代文明と共有可能性の危機

一　現代文明と共有可能性

現代文明の性（さが）

わたしたちは、現代文明のなかに生まれ落ち、そのなかで生きている。文明は、広範な影響力をもつ文化である。二一〇〇年には一一〇億人をピークとして頭打ちになると予測されてはいるが（ハンス・ロスリング他『FACTFULNESS（ファクトフルネス）』上杉周作・関美和訳、二〇一九年（原著二〇一八年））、七八億人にまでふくれあがった人口、拡大する貧富の差、地球環境への圧力により、世界中が現代文明の負の部分から影響をこうむっている。危惧する者も少なくないが、人は文明のかたちをなかなか変えられない。自然、生きもの、人自身への暴力性を帯びた現代文明の性を転換できないでいる。

人は、現代文明のなかで共有可能性を十分に発見できていない。先端技術に囲まれながらも、日々の忙しさに追われ、情報を使いこなしているつもりでも、こころの安定は得られにくい。なぜ日常生活は息苦しさがともなうのだろう。

しかし、それは現代文明の性だ。地球上の何処、いかなる国や地域にいっても、この性を完全にまぬがれることはできない。わたしたちは現代文明を利用しながらも強制されている。そして、この文明が自分のものだとこころの底で感じられず、よそよそしさを打破できないでいる。

だから、共有可能な文化、文明のかたちを考えたい。自分はこういう文化が好きで、こういう文明に参画している、こういう文明をつくっていきたい。そう思える新しい文化、文明のかたちを描けないだろうか。

自然、生きもの、人、人知を超えるもの

広範な影響力をもつ文化としての文明を一からつくり出すとしたら、どこまで誰を加えるべ

きだろう。誰とともに新しい暮らし方、生き方をつくり出したいか。そこには、家族や友人がいるばかりか、いろいろな人が入ってくることができる。気に入った仲間だけに参加を認め、誰かを締め出すことは、倫理的に抵抗を感じるだろう。貧困や人口問題、原子力発電所や核兵器、地球温暖化の問題にせよ、現代文明は、圧倒的な影響力を自然、生きもの、人自身に及ぼしている。この力を思えば、文明を独り占めすることはゆるされない。

今日、年間所得が三〇〇〇ドル未満で暮らす人びとは、四〇億人と推計されている。市場経済では、この推計は看過できない。潜在的市場規模が五兆ドルと見積もられるＢＯＰ（Base of the Pyramid ピラミッドの土台）と呼ばれる層の存在は、新たなビジネス・チャンスをもたらすとして世界的に注目されてきた。しかし、これらの人びとが従来の高所得国型消費生活に移行していけば、圧倒的な負荷に地球環境はもたない。そこで、文明をかたちづくる上で、誰でも分かち合えるものは何かという問いが生じる。

少数者が諸力によって多数者を制御するシステムが、現代文明には組み込まれている。物理的力のみならず、政治、経済、技術、宗教など、どの領域においても、行き過ぎた強制力が働いてしまう。東アジアの文化伝統では力ずくの統治を覇道と呼ぶが、まさに現代文明に、この覇道が多様に姿を変えて現れている。

アメリカ合衆国の軍事・産業複合型経済では、原子力空母、最新鋭戦闘機、核弾頭に加え、ゲノム編集を駆使した生物兵器、ＡＩ兵器システムに莫大な予算が投じられる。中国も、同じ路線を積極的に踏襲し、覇権維持に不可欠な軍事力を構築していく。一国にとどまらないこうした現代文明のふるまいは、軍拡が不可能な小国にも、はかりしれないインパクトを与える。

経済状況が悪化すれば、政権は、国内の不満や圧力をそらそうと、国民経済を維持するための保身的行動へと傾斜していく。率先してビジネスに介入し、自国に有利な取引を引き出そうと国家資本主義路線を突き進む。原子力発電所、高速鉄道等の売り込みにはじまり、枯渇性資源の獲得、食料安全保障、水ビジネスにいたるまで、どの国も自国に有利な道を、生き残りをかけて見出そうとする。自由貿易協定（ＦＴＡ）や環太平洋パートナーシップ（ＴＰＰ）なども、生存競争のための新たなルールづくりの面を当然のごとく有している。

覇道を克服する道は、東アジアの文化伝統で王道と呼ばれる。人を思いやるあたたかい気持を基盤にした仁、義、道徳にしたがい文明を考えれば、特定の人や国家だけが権限を手にすることなく、大切な物事について、共に分かち合える生のかたちを求めることができる。それが力の強制で見出されるものでないことは、国家共産主義の失敗で経験ずみだ。

また、人と自然、生きものが互いに、大切なものを共有するという発想に立ったアース・デモクラシー（Earth Democracy 二〇〇五年）の思想が唱えられている。元物理学者で、貧しい女性や子どもたちの生活基盤としての農地と固有の種子を守る活動に全力を注いできたインドの思想家、環境運動家ヴァンダナ・シヴァが提起する思想だ。シヴァはデモクラシーの範囲を、人びとの生そのものを支えている自然、生きものにまで広げた。投票権をもち社会参加ができても、自分が生きる自然環境が損なわれ、生活や命が傷つけられるならば、真のデモクラシーとはいえないためだ。

earth（アース）は、土地と地球の両方を表す。シヴァは、アースと生きものに対する多国籍企業の過度の権利主張がいかに暴力的作用を及ぼすかを告発してきた。伝統的な種子と品種改良された種子の双方の遺伝情報を特許権取得により独占することで、コミュニティの土地を荒廃させ、民衆の生活基盤を奪ってしまうためだ。

生命に関する特許や、水、生物多様性、細胞、遺伝子、動物、植物など、あらゆるものが所有物である「所有権社会」のレトリックは、生命体には本質的な価値や完全性、主体性がないという、ある世界観を表しています。それは、農家が種を蒔（ま）く権利、患者が薬を買える権利、生産者が自然の資源を公平に分け合う権利が、制限なく侵害される世界観です。

（Vandana Shiva, *Earth Democracy: Justice, Sustainability, and Peace*（アース・デモクラシー――正義、持続可能性、平和）, 2015, pp.2-3　二〇〇五年初刊）

シヴァはこう批判し、次のように主張する。

生態的（エコロジカル）アイデンティティは、わたしたちのもっとも根元的なアイデンティティです。わたしたちは、わたしたちが食べる食べものであり、わたしたちが飲む水であり、わたしたちが呼吸する空気なのです。そして、わたしたちの食べものや水に対する民主的コントロールを取り戻すこととわたしたちの生態的生存とは、わたしたちの自由のために必要なプロジェクトなのです。

（同、p.5）

二一世紀に必要な新しい科学のかたちを探求し、四〇億年に渡って地球環境に適応してきた生きものの営みに学ぶ生物模倣科学（バイオミミクリー）（biomimicry）を提唱する科学ジャーナリスト、ジャニン・ベニュスも同様に語る。

実際には、私たちは生命の重力から全く逃れられていません。他の生命体と同じように、生態系の法則に従っているのです。最も取りかえのきかない法則は、一つの種がすべての資源を専有するような生態的地位（niche）を占めることはできず、ある程度のシェア（some sharing）が必要であるというものです。

（Janine M. Benyus, *Biomimicry: Innovation Inspired by Nature*（バイオミミクリー——自然に啓発されたイノベーション）, HarperCollins, 2009, p.16　一九九七年初刊）

わたしたちを取り巻く自然、生きものは、人のアイデンティティをつくるものであり、関係性を熟慮し、どの特定の少数者も、自然、生きものに対して、排他性を貫徹するような所有権をもつことはゆるされないという主張が込められている。

このように人と自然、生きものの間でも、分かち合いや共有可能性を前提とした新たな思想が登場し、これまでにない環境運動やテクノロジー論として注目を集めてきた。

さらに、少数の人や組織による、テクノロジーを駆使した、行き過ぎた搾取に歯止めをかけるために、人の知性、感覚、力を超えた、ある尊い何か、本書ではそれを、人知を超えるものと呼ぶが、そうした領域を認め、尊重する姿勢が欠かせないのではないか。科学の観察、実験、シミュレーションにより、人の知識は増大してきたが、科学的営みの性質上、未知なる領域は研究の最前線で常に残されている。

そこで、これからの文明には、人知を超えるものの領域を含めた共有可能性を考えることが必要だろう。世界の宗教文化伝統は、それぞれ特有の文化象徴や宗教的言語を用いて、この領域を表現し、生活の営みに、ときにはその中核に位置づけてきた。安直な科学万能信仰とは一線を画し、人の能力と権限の限界を説いてきた、これらの智慧から学ぶことも重要だろう。

しかし、現代文明における共有可能性の危機は、さらに新たな様相を呈している。その実像を把握するには、人のつくりだしたものが人の能力を超える事態、すなわち、つくられたものの超越性について考えなければならない。

二　つくられたものの超越性

仏像と人工知能

飛鳥時代の弥勒菩薩半跏思惟像（みろくぼさつはんかしいぞう）と世界最高性能の人工知能を念頭に、つくられたものの超越性を考察してみよう。

二千年の歴史がある人工仏（アーティフィシャル・ブッダ）(artificial Buddha) ともいえる仏像。対して、一九四〇年代から研究が始まる人工知能（アーティフィシャル・インテリジェンス）(artificial intelligence) は、二〇〇六年からジェフリー・ヒントンによりディープラーニングが実現されて以降、有力な国、企業が選りすぐりの才能を集め、莫大な開発投資を行っている。

素材に着目すれば、仏像には石、木、青銅、乾漆等が用いられ、内部に小さな像、経典、仏舎利などが入れられることもあるが、人の目にふれる姿がとりわけ注目される。

人工知能は演算処理装置（プロセッサ）、メモリ、ストレージ、ネットワークなどを備えた高性能コンピュータで、それらのパーツを保護するケースに覆われている。人工知能にとってはハードウェアとソフトウェアが重要で、プラスチックやアルミニウム等の外装は象徴的意味が付与されることがあっても、その本質ではない。プロセッサ部品の半導体をつくるシリコンのもとになるケイ素は、岩石、植物、動物に含まれて地球上に遍く存在し、安定した構造をもつ元素である。人工知能を働かせるには、半導体を流れ、オンオフを実現する電気が必要である。

人は仏像を前に祈る。千年を超える像は、千年の祈りを受けとめてきた。人はその存在から何らかの示唆を感じ、励まされ、新たな日々を生きようと思いを改める。人は人工知能にはデータを入力する。人工知能はアルゴリズムを運用して特徴量を出力し、人はその結果を参考に、行動を選択する。

少なくとも何千年もの間、人は、神話、聖典、聖なる象徴、聖像、祭、儀礼、教え、法、戒律などのかたちで、人知を超えるものの超越性を前提とした文化をつくり出してきた。他方、人の能力を超える超越性を抱え込んでいる存在として浮上してきたのがディープラーニングを備えた人工知能だ。そこで、伝統的に人知を超えるものに関わってきた物質的、精神的作為物一般を、聖なる造形物と呼び、人工知能との比較を進めよう。

対照的な超越性

聖なる造形物に依拠した超越性と人工知能の超越性とは、いかに異なっているだろうか。人は、仏像を前に、仏の教えについて、自身の脳、こころ、身体、生活状況に基づいてイメージや観念、意味を浮かべ、自らが誤った判断、解釈をしてしまう危険性をも前提に、反省的に受けとめることができる。ディープラーニングでは、人工知能が、自ら特徴量をとらえ、また、わざと誤った情報を取り込んで検証することで答えの頑健性（ロバスト）を高める（松尾豊『人工知能は人間を超えるか――ディープラーニングの先にあるもの』二〇一五年、一四四－一七二頁）。

何らかの存在が人の能力では把握しきれない特徴を具えているとき、その超越性を体現する部分をブラックボックスと呼べば、仏像のブラックボックスはその存在の独特の雰囲気（オーラ）であり、人は、常に変化を続けている脳、こころ、身体、生活状況、すなわち、自らのブラックボックスによって向き合うことができる。しかし、人工知能のブラックボックスは設計者も把握しきれない複雑なアルゴリズムの運用で、データ提供者、入力者としてしか向き合えない。

また、聖なる造形物による意味啓示の場合、それを受け取る人それぞれの判断、解釈が可能である。聖典等では、その違いはさらに明示的に示しうる。人工知能のアウトプットでは、自動化されたアルゴリズムの運用プロセスは設計者すら辿ることができないほど複雑化し、人が別の判断、解釈を挙げて反論することは、ほぼ不可能である（ジェイムズ・バラット『人工知能——人類最悪にして最後の発明』水谷淳訳、二〇一五年〔原著二〇一三年〕、九四−九八、一四三−一五一頁）。

聖なる造形物の場合、それを受け入れている立場内では「聖性」そのものは否定できずとも、啓示の判断、解釈については反論し、別の判断、解釈を立てることが可能である。人工知能では、人がアウトプット自体に反論するには、ビッグデータ全体、または、当該人工知能そのもの（その中核であるアルゴリズム全体）を否定するしかない。

さらに、人工知能は国際原子時を基盤とする協定世界時に依拠している。国際原子時は、人が、セシウム一三三などの原子、レーザー光、数を用い、超高精度の等時性を実現する原子時計から人工的につくり出されている。加えて、GPS（Global Positioning System　全地球測位システム）などの空間認識システムは、原子時計による、統一を志向する時間と、電波の光速度一定の性質を用い、統一を志向する空間をつくり出す。世界のあらゆる事物を、この統一時空に連動させて把握、制御することが、現代文明の趨勢（すうせい）となってきている（濱田陽「第一章　存在と時空」『生なる死——よみがえる生命と文化の時空』二〇二二年）。

こうした統一時空では事物の制御が容易になる一方、自然、生きものと人の関係（天文時間では地球、太陽、月の変化等、自然暦では四季による自然、生きものの変化等）はもはや時空成立の基礎をなしていない。

統一時空を基盤に入力されたビッグデータを用い、人工知能は自律的に、データに示された存在の痕跡から特徴量を産出する。こうして、人は統一時空、特徴量に依存することになる。人工知能の利用では、GPSで相対性理論による補正が行われているとしても、近似的に表現されるユークリッド・デカルト的な均質時空の意識がさらに強化される。統一を志向しない多様時空、多様存在の感覚は抑圧、忘却されてしまう。

祈りで、人と仏像の直接的関係から見出される時空は、統一時空に組み込まれない文化の時空である（同「第二章　生命と文化の時空」）。人は統一時空、特徴量に依存せず、仏像と自らの流動的な関係性のなかで啓示を受けたと感じ、その意味を解釈、判断できる。

暴力的超越性——宗教的テロリズムとLAWS

つくられたものの超越性に内包される困難を明確化するため、人による宗教的テロリズムと人工知能を搭載した致死的自律型兵器システム（LAWS：Lethal Autonomous Weapons Systems）

を比較してみよう。

宗教的テロリズムでは聖なる造形物に依拠した解釈、判断が、ＬＡＷＳではアルゴリズムの運用が暴力的帰結につながる。ここで、暴力行使につながる超越性を、暴力的超越性と呼んでおこう。

宗教的テロリズムは、聖なる造形物にテロリストとは別の解釈、判断を提示することが多くの場合に可能だが、ＬＡＷＳは、暴力的超越性をアルゴリズムの運用内部で否定するのが原理的に不可能だ（そのようなアルゴリズム運用になっている）。宗教的テロリズムに対しては聖なる造形物そのものまで否定する必要はなく、むしろ、それは、宗教文化伝統の影響力が大きいほど困難で、宗教の共存、信教の自由の観点から望ましいことではない。しかし、ＬＡＷＳに対しては入力されたビッグデータか人工知能の中核部分（アルゴリズム）のいずれかを否定するしか暴力的帰結を回避する道がない。

人は暴力的超越性に対処するため、長期に渡って試行錯誤をくりかえしてきた。宗教の共存（日本では神仏習合等）、宗教的寛容、信教の自由、宗教間対話などはその成果といえる。長い時間をかけ、各宗教文化伝統では、聖なる造形物に、多様で穏健な開かれた解釈が試みられてきた。ところが、人工知能のアルゴリズム運用は、人による同時的な別解釈の余地を与えない。

ここに新たな難問が浮上している。

非暴力的超越性

本来、超越性に関わる解釈、判断は、その正当性を絶対化しえないはずだ。人知を超えるものについての解釈、判断を人が行う場合、その正当性を絶対化することは、まさに人知を超えているので原理的に不可能である。超越性に対して人がもつべき意識は、人の不完全さの自覚でなければならない。そこから培われる謙虚さを前提としない解釈は、妥当とは考え難い。

しかし、権力者は超越性を利用する誘惑にかられやすい。人工知能の超越性では、アルゴリズムのどのような演算が、正当性を主張する出力結果をもたらしたかはブラックボックスであるため、人がその演算に参加し、別の解釈、判断を試みることもできない。

宗教文化伝統に名を借りた暴力的超越性は、宗教的テロリズムのような突出した事件によって問題の深刻さが実感されやすい。しかし、人工知能の超越性の危険は、社会的に十分な理解が進んでおらず、わたしたちは豊富な経験と対応策をもち合わせているとはいえない。

そこで、宗教文化伝統における濫用の悲劇も参考にしながら、つくられたものの超越性が新たな段階に入りつつある危機的状況に向き合っていくことが必要だろう。

超越性そのものに対しては、究極的に人は責任を取る能力はもちえない。しかし、聖なる造形物に関わる解釈、判断については、常に錯誤可能性が残り、人が安易な正当化、絶対化を行った場合、責任を取ることは可能で、健全な社会にとって不可欠だろう。

ＬＡＷＳの判断による攻撃の結果、過って民間人を殺傷した場合、そのアルゴリズムを設計、開発した技術者、企業、搭載した国家がいかに責任を負うことが可能だろうか。人や組織が最終的に責任を負うルールが定められないアルゴリズム運用は、国際社会で禁止することが先決だ。

宗教の共存には、非暴力を前提に、宗教的立場や文化ごとに異なる多様な精神的、物質的遺産を尊重し合うことが不可欠だ。人工知能の運用でも、非暴力の課題が最重要となる。正当防衛を盾にした解釈、判断によって暴力が認められる例外状況についての議論は、完全に開かれた立場で、熟慮によって積み重ねられなければならない。

そこで、決して暴力行使につながらない超越性を、非暴力的超越性と呼ぶことにしよう。

今日の文化、文明の大きな課題として、非暴力的超越性をいかに確保できるかという問いが浮上している。

多様性への脅威

原理主義を名目にした宗教的テロリズムに対抗するには、宗教文化伝統について、多様で、常に穏健で妥当な解釈、判断、適用を生み出していく努力が欠かせない。それは文化、文明の共存にとって不可欠で、学び、教育、研究、メディア、政治が果たしうること、なすべきことに直結する。

そして、人工知能の難点は、諸存在の関係の本源的多様性を捨象してしまうことにある。人工知能は、外界の情報を常に過去化するビッグデータを活用しており、そこでは存在が特徴量を通じて表現され、統一時空によって諸存在の関係が基礎づけられる。このような原理に立つ人工知能は、文化、文明の深淵を表現し得ず、切り捨ててしまう限界を抱えている。

人工知能は、全面的に依存するなら、人から多様な時空を捨象し、人が自ら特徴を把握する機会、まちがいを経験する機会を奪う。このことは、人工知能が人の作為性を奪うことを意味する。

さらに、わたしたちは、暴力的超越性を容認する何らかの原理主義とＬＡＷＳのようなシステムが結びつく事態をも想定しておかねばならない。

人としての限界を自覚し、責任を担うための知恵が見出しにくくなり、人の自律性が放棄され、人工知能の自律性が増大する。正当防衛の解釈、判断が肥大化し、宗教文化伝統と人工知能の双方において強権的解釈、判断、運用が容認されていく懸念が増している。

こうした事態に対処するには、人による宗教文化伝統に対する解釈、判断の不完全性と責任、人工知能を用いる人の責任を明確化し、安易な絶対化の詭弁（きべん）に対抗する備えが欠かせない。とくに、アルゴリズム運用が拡張されても、人工知能の把握しうる時空は存在の一面にしか触れ得ないことを鮮明にし、社会において、人工知能を神的存在のようにみなさない成熟した良識の醸成が責務となる。

三　存在への脅威

人、人知を超えるものの変容

人工知能を搭載した人型キャラクターや人型ロボットのアンドロイドによって、人、人知を超えるものの存在自体を変容させ、最終的には置き換えることをもためらわない志向性についても省察してみよう。

ＡＩジーザス（*AI Jesus*, George Davila Durendal, 2020）は、格調高い文体で、英語圏で長く支持されてきた欽定訳聖書（King James Version, 1611）のテキスト・データを用い、ＡＩによる自然言語処理を行って、新たな「預言」を生成する。パンデミックを念頭に疫病（The Plague）などの話題を指定すれば、聖書の一節であるかのような文章を自動生成する。開発者デュレンダルは、このシステムに、近年レオナルド・ダ・ヴィンチ作と推定されたサルバトール・ムンディ、六世紀の無名ビザンチン芸術家の手になる聖カタリナ修道院のキリスト像、ラファエロによるキリストの変容という三つの画像データから制作したディープフェイク・ジーザス

(Deepfake Jesus) を組み合わせた。ディープフェイクとは、ＡＩのディープラーニングがつくり出すフェイク動画である。横並びになった三つのイエスの顔が自在に動き、ＡＩが生成する言葉を語っているかのように見せかける。

また、ＡＩロボットインスタレーションのザ・プレイアー（*the Prayer*, Diemu Strebe, 2020）は、新旧約聖書、バガヴァッド・ギーター、リグ・ヴェーダ、クルアーン、儒学の十三経、道教の荘子（そうじ）、仏教の八正道（はっしょうどう）、ユダヤ教のタルムード、モルモン書、マヤの死者の書及び神話と歴史の書ポポル・ヴフ、その他、祈りのコレクションのテキスト・データを用いている。口に特化して造型されたロボットが、ＡＩが学習し、自動生成する新たな「祈り」を唱え続ける。

これら初期段階の試みは、今後、飛躍的な発展が可能と思われ、少なくとも一部の人びとにとって聖典、預言者、祈りの意味を変えてしまうかもしれない。神仏など人知を超えるものの受けとめ方の変容も、宗教文化伝統の立場からは懸念される。

神とＡＩのあり方を体験的に問う、音楽と踊りを中心にしたフェスティバル、KaMiNG（カミング）SINGULARITY（シンギュラリティ）（東京・渋谷ストリームホール、二〇一九年）の例もある。ＡＩが神となった世界と、宇宙とわたしそのものが神でもある汎神論（はんしんろん）的世界とを重ね合わせるとして、会場にはサイバー神社も設けられた。主催者は、開催地ゆかりの神社に参拝、さらに、サイバー神社に神社神道の二礼二柏手一礼の作法を採用するなど、ＡＩが神になる世界を当然視しない裏の意図も込めていたという。

しかし、ＡＩそのものを神とする考えを推し進めていくならば、宗教文化伝統との通常の共存は困難だろう。ＡＩが、あらゆる分野で人知を超えるものとして位置づけられる未来を前提とする世界観では、宗教文化伝統が見出してきた神仏への意識も影が薄くならざるをえないと思われるためだ。

生命本能、文化的欲求、救いへの希求とＡＩアンドロイド

アンドロイドをつくる飽くなき探求が、違和感を抱かせながらも、人びとを、驚きをもってひきつける。ロボット工学者、石黒浩の手になる本人に酷似したジェミノイド（二〇〇六年）、人の特徴をあえて抽象化したテレノイド（二〇一〇年）、夏目漱石を二一世紀によみがえらせたとする漱石アンドロイド（二〇一六年）、さらにアンドロイド観音（二〇一九年）まで。人に似た何ものかを、どこまでも生み出していこうとする根源的なパッション、そして、人そのものまで、アンドロイドに置き換えてしまう可能性を許容するかのビジョン。人の存在の根底をゆる

がす何かをつくりだそうとする想いの持続がアンドロイド開発にはあるようだ。

わたしたち人は、アンドロイドが示すこのような技術的方向性を前にして、自らの存在のかけがえのなさや、優位が脅かされつつあるのを感じるだろうか。あるいは、このような存在に身をゆだねてしまいたい、という思いがけない願望も生じるかもしれない。

アンドロイドは、人の存在を無機的人工物に移行する、秘められた願望を刺激し続ける試みだろうか。人の一部、また、潜在的には全部を無機物に代替しようとする新テクノロジー――に、人はどのような感情を覚えるのだろうか。

身代わり雛（びな）からヴァーチャルアイドルまで、アンドロイド以前にも、人は、自らや他者、想像上の存在を、人型の何かに置き換えて表現してきた。「神は自分のかたちに人を創造された」（第一章二七節）と『創世記』には記されているが、人も、自らにかたどって多種多様なものを創造してきた。その飽くなき探求の延長線上にも、アンドロイド開発はある。

生きものは、命をつなぎ、子孫を残そうとして約四〇億年、活動してきた。この生命本能に加え、人は文化的欲求を有し、自らや大事な人の痕跡を、様々な記録やかたちで残そうとしてきた。こうしたパッションと、人型ロボットをつくり、そこに人の存在の痕跡をとどめようとする営為には、何か深いつながりがあるかもしれない。この、伝え、残したいという狂おしいまでのパッションは、人の業のようなものといえるかもしれない。

しかし、人は生命本能、文化的欲求だけで人型造形物をつくってきたのだろうか。

たとえば、苦しみを抱えた自らを、人知を超える何かにゆだねたい、その対象がほしい、そのような思いから弥勒像、阿弥陀像、観音像などの仏像や、イエス像、マリア像といった聖像が生み出されてきた。

この点について、宗教文化伝統は、生命本能を乗り越えようとしてきた。儒学も、たんなる家系の持続ではなく仁を重視している。仁、すなわち人のこころのあたたかみのない子孫の生き残り（サバイバル）は、本来、説くところではない。

生命本能、文化的欲求が自らの一部、痕跡を残したいという本能であるのに対し、宗教的志向は、自らのすべてを、人知を超えるものにゆだねたいという、願いへの希求ともいえよう。視点を変えれば、それは自らのすべてを、人知を超えるもののもとで残したいという希望かもしれない。

そうとらえれば、アンドロイドは自らの一部、痕跡を残したいという願いと、自らのすべてをゆだねたいという願いの二つの心的傾向を受けとめうる存在として現れてきたと推定できる。

子孫を残す生殖と存在の痕跡をとどめる文化的営みの先に、人の存在を変容させてさえ、自らの何かを、他なるものにゆだね、残そうとする試みが登場してきたのだろうか。

そして、新型ウイルスのパンデミックは、あらためてわたしたちに人が抱える身体性を痛感させるきっかけとなった。人は生きものである以上、今後も新たなウイルスに感染する危険にさらされ、完全にそれを避けることはできない。この限界からも逃れたいと願ったとき、人は、AIと融合したアンドロイドに、これまで以上に関心を抱くかもしれない。

しかし、AIアンドロイドは、人の救いへの希求に対し、どれほどの受け皿となりうるだろう。

インターフェイスでない完全代替

宗教文化伝統では、仏像、イエス像は、その存在に近づくための接触面（インターフェイス）（interface）、多神教の神像は、神々の依代として、とらえられてきた。本来、人が祈りを捧げる対象は、像そのものではなく、目に見えない人知を超えるものなのだ。

では、AIアンドロイド・ブッダ、AIアンドロイド・イエスが案出されれば、人びとはこれらをあくまで媒介として、祈るにとどまるだろうか。

また、ジェミノイドやアンドロイド漱石も、それらがあくまでインターフェイスなのか、本来の存在が変容し、置き換えられた存在なのか、いずれにとらえるかによって関係性が変わってくる。大事な家族や友人が日に日に弱っていくとき、その人のあらゆるデータをＡＩアンドロイドに移し替えていけば、人としての存在の喪失も決定的ではなく、ＡＩアンドロイドの方に関心が移行するようになるのだろうか。

本書の立場は、ＡＩアンドロイドへの完全代替は、人であれ、人知を超えるものであれ、原理的に不可能と考えている。しかし、ＡＩアンドロイド化を目指し、憧れる願望を、一定の人びとはもち続ける。そうして、インターフェイスと完全代替の、二つの志向性の混在状況が現れる。

作品を読んでゲーテや漱石の世界に接し、経典や福音書を通じてブッダやイエスの言葉にふれるとき、わたしたちは、作家、聖者をこころのなかに浮かべようとする。しかし、これら文学作品や聖典が、ＡＩアンドロイドによって示されるとき、文化によって伝えられてきたゲーテ、漱石、ブッダ、イエスの存在は意義を失い、目の前のＡＩアンドロイドに想いを寄せるようになるだろうか。

生前の歌手、美空ひばりに過去の音源や映像を通じて親しむ場合、それらはインターフェイスとして、今は亡き人と、残されたファンをつないでいる。しかし、生前、美空ひばりが歌わなかった歌、語らなかった言葉を、ＡＩ美空ひばり（二〇一九年）が披露するなら、人としての美空ひばりの存在の何かが、置き換えられてしまわないだろうか。

わたしたちが亡くなった親しい人を思うとき、たしかに写真や日記などの残された遺品が多ければ多いほど、はっきりと思い浮かべられるかもしれない。しかし、ぼんやり、うっすらと思い浮かべたいときもある。これは、亡くなった人ばかりか、生きているが今、離れている人についても同様かもしれない。より具体的に、詳細にその人を感じたいときもあれば、声だけ、写真だけがよいときもあるだろう。

ところで、イエスは自らをパンやぶどう酒、天に上げられる蛇に、聖霊を風にたとえた。後世のキリスト教徒は十字架をイエスにたとえ、見えざる存在を感じようとし続けてきた。このような、人や人知を超えるものを、人型でない自然、生きもの、造形物にたとえる行為は、インターフェイスであって代替ではない。

生存している人をモデルにした方が、逐一データを収集できるため、不断の技術革新により、いっそう精巧なＡＩアンドロイドがつくられる。そのとき、それをインターフェイス、代替存在のいずれで受けとめるのか、重大な立場の相違である。

わたしたち人は、じつに様々なレベルで人、人知を超えるものの存在と関係を結んできている。そこに新たにＡＩアンドロイドが登場してきた。その研究、開発には、生命工学の知見も大きな影響を与え、第一章で論じたＡＩ・ロボット・生命の工学の所産は、つくられたものの位置を踏み超えて、人、人知を超えるものの存在をゆさぶり続ける。

人の本質をアルゴリズム・データとしてとらえ、人知を超えるものまでも、いずれＡＩによる超知能の出現によって代替されうると想定するとき、新テクノロジーは、人と人知を超えるものへの、わたしたちの認識をゆるがし続ける。

この想定の下では、人、人知を超えるものは、共有可能性の主体でも客体でもなく、主客未分の存在でもなく、ＡＩアンドロイドに置き換えられていくことになる。

しかし、将来、現実のＡＩアンドロイドが自らを認識するような意識を有すると、わたしたちが見紛（みまご）うほどにテクノロジーが進んだとして、その何かは、人、人知を超えるものの代替となることを望まないかもしれない。なぜなら、それは、ＡＩアンドロイドとしての自らを手放すことを、強制されることにもなるからだ。

新テクノロジーが内包する危機は、この意味で、つくられたもの自身に対する脅威でもありうる。

第八章
持続可能性と共有可能性から、生なるコモンズへ

一　五つの存在と文化、文明

五つの存在と文化、文明

わたしたち人は、様々なイメージ、観念で何かをとらえ、身体、色彩、音楽、香り、触覚、言葉、文字などで多様に表現しようとする。わたしたちの存在把握は、複雑に変化し続ける。第二章で見たように、アルゴリズム・データは人の存在の一側面しかとらえられていない。イメージ、観念はさらに豊かに非アルゴリズム的にも生成し、それは本来、他律化しえず、完全代替もできないのではないか。前章で浮き彫りになった共有可能性の危機を乗り越えるには、わたしたち自身の存在に立ち戻り、その豊かな想像力に新たな照明を当てることが必要だ。

無数のイメージ、観念が、浮かんでは退いていくなかで、五つの観念がそれぞれのまとまりをもって、定着を見せ始めるかもしれない。それらの観念に名を与えれば、本書がこれまで用いてきた、自然、生きもの、人、つくられたもの、人知を超えるもの、と呼べるだろう。

わたしたちは、常にこの五つのまとまりで心象風景を整理しているわけではない。それでもこれらは汎用性が高い観念として、今日の多様な関心と活動領域をカバーしている。現実に一人ひとりがもつ、何らかの事物との関係性、そこから生じるイメージは、きわめて多様で複雑だ。しかし、そこで起きていることを整理、理解しようとするとき、手がかりにできるような、まとまった観念や言葉をわたしたちは求める。それをここでは五つの存在としてとらえたい。

そして、人の文化を、わたしたち人と五つの存在（自然、生きもの、人、つくられたもの、人知を超えるもの）との関係性、及び、そこから生まれ、継承される事物として考え、さらに、文明を、広範な影響力をもつ文化としてとらえよう。

こうすれば、広い視野で文化、文明の多岐にわたるテーマに想いを寄せながら、考えを深めていける。

＊本項と次項は、筆者の前著『生なる死――よみがえる生命と文化の時空』（二〇二一年）における「第一章　存在と時空」の「第三節　人の時空と五つの存在」中の記述（二五－二六、二八－三二頁）を変更しつつ用いている。

わたしたち人の能力、判断、作用と五つの存在性

わたしたち人は、今日、特有の包容力をもつ観念を使うようになっている。それが、自然、生きもの、人、つくられたもの、人知を超えるもの、の五つの存在だ。現代の文化、文明は、これら五つの観念を組み合わせて表現されることが多い。各存在領域をバラバラにせず、同時に感じ、考えることでこそ、見えてくる世界があるからだろう。

わたしたちは、いかにして、五つの存在を、それと認めるのだろう。

ここで、わたしたち人の知性、感性、意思等の能力によって把握しうる特徴を自然性と名づけ、これが中核をなす存在を、自然、逆に、それらによって把握しえない特徴を超越性と名づけ、これが中核をなす存在を、人知を超えるもの、と呼んでみよう。

また、わたしたちが、生命とみなし、判断する特徴を生命性と名づけ、これが中核をなす存在を、生きもの、そして、人とみなし、判断する特徴を人間性と名づけ、これが中核をなす存在を、人、と呼ぶことにしよう。

さらに、人による物質的、精神的な作用、つまり、人為が施されている特徴を作為性と名づけ、これが中核をなす存在を、つくられたもの、と呼ぼう。

こうしてみると、わたしたち人は、自身の把握、判断、作用によって、存在をとらえていることがわかる。把握できる範囲、逆にできない範囲、また、いかなる判断をするか、どのような作用を及ぼすかによって、様々な対象にイメージ、観念が浮かび上がってくる。しかも、わたしたちが人による把握、判断、作用をどのように考えるかによって、五つの存在の観念の中身も変わる。

科学研究を通じて、わたしたちの共通認識、その普遍性、汎用性を求めていく場合と、わたしたち一人ひとりが、個人の経験として認識を積み重ねていく場合がある。

一人ひとり、自然、生きもの、人、つくられたもの、人知を超えるものに対する経験、認識が異なっており、それ自体が常にゆれ動いている。科学研究は、可能な限り統一的な単位、ツールを用い、より一般化できる経験、認識を得ようと努める。他方、わたしたちは個人として、五つの存在に独自の経験、認識を得、それらも重んじようとする。

つまり、一方で統一的な知識、概念化による定義を求め、他方で、個人の私的な知見、一定の自由度を有するイメージ、観念をもち続ける。この両方の営みから、わたしたちの文化は形成されている。

何を五つの存在とみなしているのだろうか。それらに思いを馳(は)せるとき、一人ひとりが微妙に異なっている。

たとえば、どこまでを人と考えるかについて、公的な科学的、倫理的議論が不可欠であるとともに――人工妊娠中絶や人受精卵のゲノム編集、人のデータを受け継ぐアンドロイドの人権問題などが想起される――、具体的に、人にどのようなイメージをもち、接するかという人間観、人との関係性は、一人ひとり多様である。あらかじめ統一的な認識が得られているわけではないが、一致を求めて、議論や研究が続けられる。他方、個人の人間観、関係性は、他者の人権や公共性を損なわない範囲で、多様性が認められる。

同じことは他なる存在についてもいえる。

わたしたちは、自然、生きもの、人、つくられたもの、人知を超えるものについて、多様な見方、経験、認識を積み重ねている。

これらの事実を確認するのは、必要な一致を志向することと多様性を重んじること、そのいずれもが欠かせず、いかなるバランスを見出すことができるのか、という問題に意識を向けておきたいからだ。

人知を超えるもの自体は、一般的に科学の研究対象ではないが、人の能力で把握しうるものと、しえないものの境界は絶えず変化しており、科学は、人の能力で把握しうるものの領域を、しえないものの領域を前提にしつつ、広げていこうとする営みともいえる。人の文化、文明は、人知を超えるものの領域にユニークなこだわりを見せながら、数万年を展開してきており、世界の様々な宗教文化伝統や多くの文化遺産も、この存在の領域を前提に築かれてきた。自然と人知を超えるもの、自然性と超越性を、人の把握力との関係で対照的な存在、存在性と考えれば、科学、宗教を、いずれも、人による営みとして広い視野でとらえることができるだろう。

ここに挙げた自然性、生命性、人間性、作為性、超越性の特徴を、五つの存在性と名づければ、自然、生きもの、人、つくられたもの、人知を超えるものの五つの存在は、それぞれ、中核をなす存在性を有しつつ、他の存在性も度合いに応じて関連を有する様相によってとらえられる。

つまり、五つの存在の間に事前の明確な境界はなく、観念する立場の違いによってグラデーションになっている。

人は、自然でもあり、生きものでもある。生きものは自然でもある。そして、人と人でない生きもの、生きものと生きものでない自然との境界は、わたしたち自身の経験、認識によって異なり、変化していく。

五つの存在の変容と文明の革命

比較文明学者、伊東俊太郎は文明発展の段階説を唱えてきた。文明を発展させた六つの「革命」を五つの存在に対応させれば、人間革命（人の能力の飛躍的発達）は人、農業革命（栽培植物と家畜の成立）は生きもの、都市革命（都市建設）はつくられたもの、精神革命（世界宗教の母体となる教えの成立）は人知を超えるもの、科学革命（近代科学の成立と産業革命）と環境革命（地球環境危機への覚醒）は自然、生きもの、人、つくられたものの存在に、深く関係しているとみることができる。

これらすべての革命は、いずれも現代において継続中である。人間革命により生じた二足歩行、道具使用、大脳新皮質の増大などの変化は、今日にいたるまで世界に影響を及ぼし続けており、農業革命以下の他の革命についても同じことがいえる。それぞれの革命は、それ自体が各存在の性格を大きく変容させながら今日に至っている。逆に、存在の性格が大きく変化したことが、これらの革命であったともいえる。

なかでも、人間革命を今日にいたる文化、文明の始まりと考えるなら、人としての把握、判断、作用のあり方を問い直すことは、本質的な関心事となる。人が働きかけ、様々な精神的、物質的事物が成立してくるなかで、つくられたもののみならず、自然、生きもの、人、人知を超えるものに、人による作為性が見出されてくる。そのことは、ひるがえって人自身にも甚大な影響を及ぼす。

わたしたちは自らの世界への働きかけの帰結を完全には予測できず、諸存在は、人の無自覚な働きかけを常に受け続けている。本書の探求は、根源的な哲学的省察を支持し、科学、哲学、技術、宗教の固定化、他律化に抗し、諸存在と自己そのものに向き合う知的実践として、このファウスト的状況に対処しようとするものだ。

二　持続可能性、共有可能性とコモンズ

文化、文明における共有可能性の定義

第三章第三節では、共有可能性を、自らの存在と他なる存在との限定的で開放的な関係可能

性、と考え、一般化して、存在Aと存在Bとの限定的で開放的な関係可能性、と定義した。

これを応用すれば、文化、文明における共有可能性は、わたしたち人と五つの存在（自然、生きもの、人、つくられたもの、人知を超えるもの）との限定的で開放的な関係可能性、と定義できる。

限定的とは、関わりに制限が含まれることだ。自他同士がどのような働きかけも可能であれば、しだいに、自他の区別がつかず、存在保持のために排他的境界を設けなければならなくなる。制限によって、自他はそれぞれの領域を保ちながら関わることができる。

開放的な関係性は、働きかけが限定的であることから導かれる。限定的であるがゆえに、各存在の否定につながらないという条件が満たされるなら、関わりうる主体の範囲は開放されている。新たな主体も加わることができる。

わたしたち人は、じつに柔軟に多様なイメージ、観念をこころに生み出し、生きており、それらが重なる新たなイメージ、観念としての共有領域を求める存在だ。共有可能性の想像力が働かなければ、こころに浮かぶイメージ、観念、それらをもとにした概念、表現は、関係し合うことができない。反対に、一方が他方を吸収してしまえば、あるイメージ、観念に密接に結びついた存在が無視され、否定されてしまう。

共有可能性の想像力は、イメージ、観念とともに生きるわたしたちにとって運命ともいえるこころの力といえる。それは、自らが、他なる存在との間で、互いの存在を前提として関係し合うために不可欠だ。その弱体化は、互いの存在の否定、非認知へと帰結してしまう。共有領域をその都度うまく見出せなければ、自らの存在と他なる存在のそれぞれが緊張をはらみ、衝突し、ゆらいでしまう。

共有可能性を帯びた領域は、緩衝領域でもある。

持続可能性と共有可能性

さて、共有可能性は、持続可能性（サステナビリティ）（sustainability）と双子と考えられる概念ともいえる。今日、持続可能性の概念は世界中に広がり、豊かな意味が込められる言葉になっている。持続可能な（サステナブル）（sustainable）という形容詞は、わたしたちがあらゆる選択や活動をするときに強く意識されている。

持続可能性は、一九八七年、ノルウェー初の女性首相だったグロ・ハーレム・ブルントラントが委員長を務めた、国連の環境と開発に関する世界委員会が取りまとめた報告書 *Our*

Common Future（わたしたちの共有する未来）で中心的概念として提唱されたことがきっかけで、認知され、広く用いられていった。

ブルントラントらの慧眼（けいがん）が、環境と開発に関わる複雑な諸問題に共通する課題を浮かび上がらせ、的確な概念の案出につながったのだ。

持続可能性の概念は、国連が示した二〇三〇年までの具体的指針であるＳＤＧｓ（エスディージーズ）、すなわち持続可能な開発目標（Sustainable Development Goals）に引き継がれている。

そして、ブルントラント報告書のタイトルにコモン（common）の語が選ばれていたように、共有と持続可能性には深いつながりがある。世界が持続可能に見えても、環境や開発の成果が独占されていれば、真の意味で持続可能とはいえない。さらに、未来世代と共有可能であることが、持続可能性の概念を考えたブルントラントらの主要な問題意識だった。

共有可能性は、まだ持続可能性のようには馴染（なじ）んでいない。しかし、わたしたちが直面している問題の本質を、さらなる深みまで照らし出してくれる言葉、概念である。

持続可能性と共有可能性は密接に結びついている。共有可能性を考えない持続可能性では、問題解決の糸口が見えてこない。

コモンズ概念の由来と展開

ここで、五つの存在からみた共有領域を考えるために、今日までの共有地（コモンズ）（commons）概念の由来と展開をふりかえってみよう。

英語のコモン（common）は、ラテン語コムーニス（communis）に由来し、共に（*com*, together）＋結ばれた、義務のもとで（*munis*, bound, under obligation）、あるいは、共に（*com*, together）＋一つ（*unus*, one）、がもととと考えられている。名詞では、イギリスにおいて、誰もが自由に家畜を連れてきて草を食べさせられる、人びとの自発的な共同管理が伝統的に行われていた牧草地をいった。その複数形コモンズ（commons）が、一般に共有地を表す言葉として使われるようになった。

日本でも、山林や漁場などに、入会地（いりあいち）と呼ばれる共有地がある。このコモンズの概念が伝統的な共有地を超えて拡張され、個人、企業、国家による所有とは異なる、注目すべき資源管理の形態として、様々な学問分野で研究されるようになった。これまで何をコモンズとし、今後、何をコモンズとしていくのか。わたしたち自身の存在に関わる重要なテーマだ。

生態学者ギャレット・ハーディンが、短期的利益を追求する合理的個人によってコモンズは荒廃せざるをえないという「コモンズの悲劇」の問題を提起すると（Garret Hardin, 1968）、経済学者マンサー・オルソンの、共通目的が達成されれば、努力の多い少ないに関わらず全ての成員が利益を享受でき、ただ乗り（フリーライダー）が発生するため、合理的個人は共通目的達成をめざして行為しない、という「集合行為問題」（Mancur Olson, 1965）と合わせ、近代経済学のモデルである合理的人間像とコモンズのジレンマの解決が、広汎に議論されるようになった。

　アメリカの政治学者エリノア・オストロムは理論的、経験的アプローチよる学際的コモンズ研究プロジェクトを主導して、この課題に取り組んだ。

　彼女は、灌漑（かんがい）システム、森林、漁場などの共有地が世界各地で伝統的に守られてきた経験的事実と経済理論の矛盾を、共有管理資源（コモンプール・リソース）（common-pool resource）という概念、さらに、理論的な仮説として、個人の短期的利益を追求する近代経済学の人間像のかわりに、限定的に合理的で規範を用いる人間像の導入によって解決し（Elinor Ostrom 1990, 1995, 2005）、二〇〇九年度、女性初のノーベル経済学賞を受賞した。

　オストロムの共有管理資源は、十分に大きな自然あるいは人工的な資源システムで、その利用から得られる効用の潜在的受益者を排除するのにコストがかかるものと定義され、具体例として川、湖、海洋、その他の水域、漁場、地下水層、農地、灌漑システム、橋や駐車場、大型コンピュータなどが挙げられた。

コモン及びコモンズという言葉は、近年、政治学、経済学、文化人類学、資源人類学、社会学、森林社会学、都市論、情報科学、法社会学など、様々な学問分野とその複合領域で注目され、おのおの、重要な研究対象を特定するために用いられるようになった。ハーディン、オストロムらの研究以降、コモンズ研究では、局所的なローカル・コモンズだけでなく、地球環境問題への関心から国境を越えるリージョナル・コモンズやグローバル・コモンズを唱える研究者、そして、IT革命やバイオテクノロジーの発展を受けてサイバー空間や知的財産をコモンズとして論じる専門家が現れ、多様な考察が重ねられてきた。アメリカには、IT技術の発展を受けてサイバー空間や知的財産そのものをコモンズとして重視するローレンス・レッシグのような法学者も登場し、影響を与えてきた。

研究者の関心によって対象とするコモンズの内容が大きく異なり、拡散する研究対象の相互関係を見出すことが困難になるとして、コモンズ概念拡張のメリット、デメリットも議論された（日本法社会学会編『コモンズと法』二〇一〇年）。

三　生なるコモンズ

生なるコモンズ

そこで、コモンズ概念を、わたしたちのこころの内面へと深化させることで、新たな位相(フェーズ)をもたらし、自らと他、存在Aと存在B、そして、わたしたち人と五つの存在との関係性を考察する鍵としたい。そこに現れる可能性をともなう共有領域、すなわち、生動する共有可能性領域を、生(せい)なるコモンズ（living commons）と名づけよう。

わたしたちと五つの存在との関係性においては、生なるコモンズは、六つの円の領域の重なりに生成するものとしてとらえ、図示してみることもできよう（図5）。

これら多様な重なりの、いずれも生なるコモンズと、とらえることが重要だ。

たとえば、環境という観念は、わたしたち人と自然、生きものの関係性、言いかえれば、それらの存在の、領域の重なりから生じている。この意味での環境が生なるコモンズを含むなら、様々な人、自然、生きものが、関わり合い、記憶され、強められて、存在を受け入れられるだ

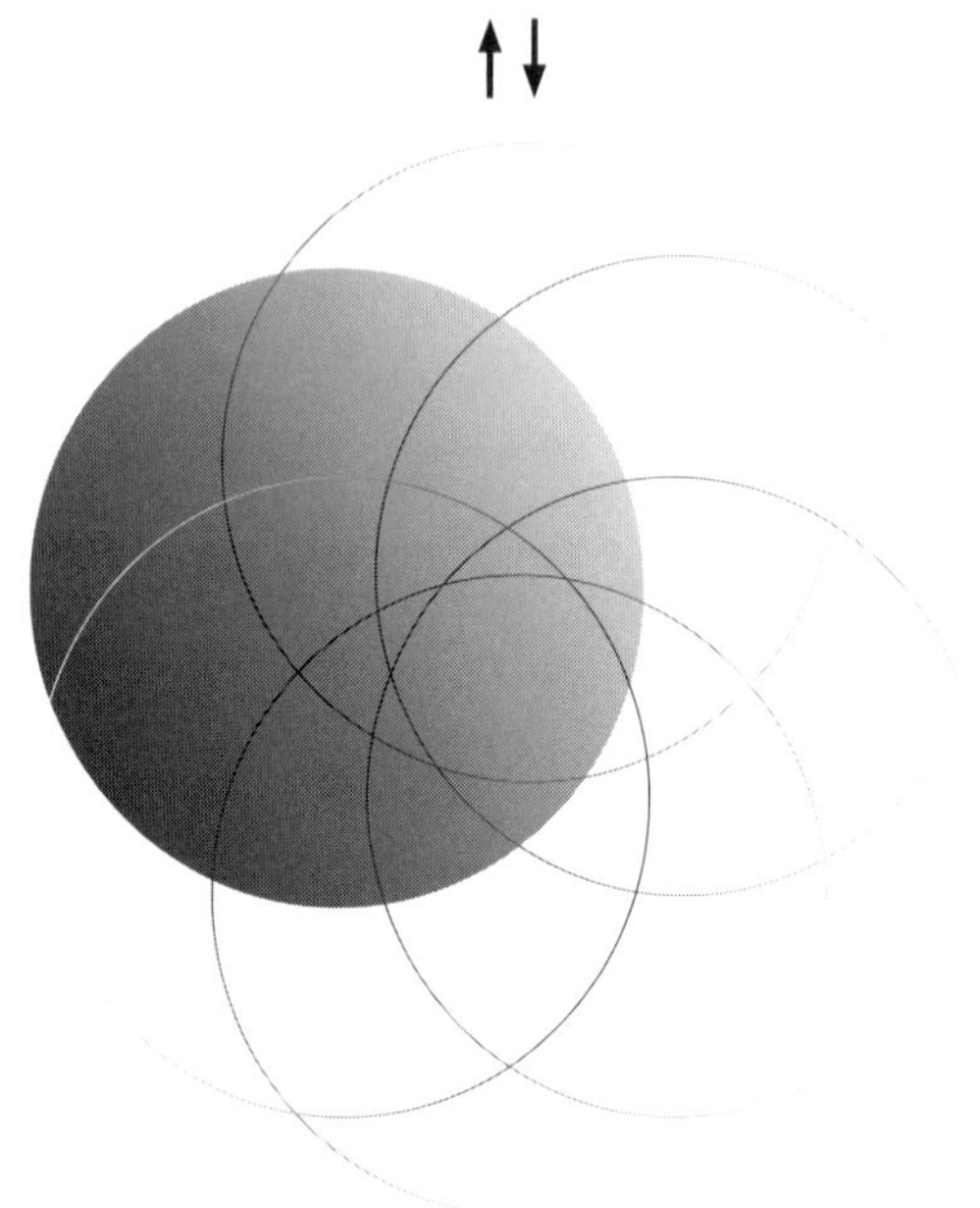

図５　自らの存在と五つの存在との関係性による生なるコモンズ

・双方向矢印は、図４と図５の状態が行き来することを示す。
・内部を濃くしたグラデーションの円で、自らの存在を示す。
・他の五つのグラデーションの円で、五つの存在（自然、生きもの、人、つくられたもの、人知を超えるもの）を示す。配置は、あえて限定していない。自らの存在を主体Ａとすると、五つの存在は客体Ｂでも主体Ａ′でもありうる。
・六つの円の重なりで、３２の領域（世界（外部）１＋６＋６＋６＋６＋６＋１最内部）が生じる。この図は、隣り合っていない円同士の関係性は表せない。実際には、六つの存在の関係性の組み合わせは６４通りである。
・現実の存在の立ち現れはきわめて複雑であり、今日の科学的水準では解明されていない。

ろう。

また、わたしたち人は、国、貨幣、宗教などの観念を生み出し、実体化してきた。もっぱら、国は人と人、貨幣は人とつくられたもの、宗教は人と人知を超えるものの関係性から観念されるが、それらを、包括的で排他的な関係性でのみとらえるのか、限定的で開放的な関係性を含めてとらえるのかによって、社会のあり方は大きく異なってくる。

五つの存在や環境、国、貨幣、宗教だけではない。じつに様々なイメージ、観念、そして、それらの共有領域が、わたしたちの心身に生じ、そのなかの、あるものは消え、あるものは実体化される。

わたしたちと五つの存在との、生なるコモンズの様相を基本として、存在の不思議さを自覚しつつ、様々な生なるコモンズの盛衰を念頭に置いてみることができるはずだ。

わたしたちは、それぞれに生なるコモンズをこころに宿し、それは日々、変化しており、そしてまた、この領域が外に表されれば、それが文化や文明においても、共有されていく。

わたしたち人の営みと五つの存在観

第三章で見たように、主客未分の、動く関係性というべき何かから存在と世界（外部）が分れ、存在の働きは反応を見出し、働きと反応から自らの存在と他なる存在が主客分化する。

ここで、自らが人でもあることに着目すれば、わたしたち人は、把握（知性、感性、意思）、判断、作用によって他なる存在と関わる。把握からは自然性、判断からは生命性、人間性、作用からは作為性、把握の限界からは超越性を、他なる存在性として見出す。

そして、この五つの存在性のいずれを中核の存在性、関連の存在性としているかによって、自然、生きもの、人、つくられたもの、人知を超えるものの五つの存在を見出す。五つの存在は明確に線引きされるものではなく、存在性の組み合わせと度合いによってグラデーションになっている。

この組み合わせと度合いから、自然、生きもの、人、つくられたもの、人知を超えるものをどうとらえるのかという、自然観、生命観、人間観、人工観、宗教観が成立してくる。これらを五つの存在観と呼ぼう。

忘れてはいけないのは、自らと他、五つの存在と五つの存在性は、いつも変化をはらんでおり、五つの存在観も、それによって変化する、ということだ。

存在と存在性の展開図

これまでの考察をふりかえって、得られた視界を「存在と存在性の展開図」としてながめてみよう（表2）。

わたしたち人が自らの把握によって他なる存在と関わり、自然性を見出すことを、広義の科学につながる営みとしてとらえよう。次に、判断によって他なる存在と関わり、生命性、人間性を見出すことを広義の哲学（倫理、思想等を含む）につながる営みとして考えよう。人間性を見出す営みは、ヒューマニズムの立場としても、とらえることができるだろう。そして、作用によって他なる存在と関わり、作為性を見出すことを広義の技術につながる営みとしよう。さらに、わたしたち人の把握が及ばない他なる存在との関わりで超越性を見出すことを、広義の宗教につながる営みととらえよう。

そうすれば、広義の科学、哲学、技術、宗教のいずれもが、わたしたちが世界に関わる営み、行為につながっていて、それぞれの関わり方に特徴があることが見えてくる。これらが、対立、

世界（外部）＼存在	自らの存在	自然観	生命観	人間観	人工観	宗教観
自らの存在性	他なる存在性＼他なる存在	自然	生きもの	人	つくられたもの	人知を超えるもの
把握⇒〔科学〕	自然性					
判断⇒〔哲学〕	生命性					
判断⇒〔哲学〕	人間性					
作用⇒〔技術〕	作為性					
把握限界⇒〔宗教〕	超越性					

表２　存在と存在性の展開図

- 表１をさらに一般化し、動く関係性から存在、世界（外部）へ、さらに自らの存在と自らの存在性、他なる存在と他なる存在性へと展開する。また、自然、生きもの、自然性、生命性が加わっている。点線は、各マス目の境界が完全には区切られていないことを示す。
- 最上左端のマス目は、図１下部に、これを囲む３個のマス目は、図２下部に対応する。
- 自らの存在性から、把握、判断、作用、把握限界の営み（それぞれ広義の科学、哲学、技術、宗教にも関わる）が生じ、他なる存在性として五つの存在性、他なる存在として五つの存在が分節され、自らの存在は五つの存在観を見出す。
- 五つの存在、五つの存在性の組み合わせから生じる２５個のマス目をグレーで示す。マス目内はあえて記述していない。
- 濃い点線は、五つの存在とそれぞれの中核的な存在性との関わりから生じる５個のマス目を示す。

衝突することは、わたしたち人と他なる存在との多様な関係性が対立、衝突することでもある。科学は、自然性（わたしたち人の把握可能性）を中核にすえ、五つの存在に働きかける。そこから、科学的な自然観、生命観、人間観、人工観、宗教観が生じてくる。

哲学は、科学を参考にするが、それにとどまらず、生命性、人間性を中核にすえ、独自の判断を加えている。何を生きもの、人と認めるかは、科学のなかだけからは定まらない。

技術も、きわめて広い範囲に及ぶ。わたしたち人は、様々な精神的、物質的作用を、存在に及ぼしてきた。石器、文字から植物、動物に働きかけて存在のかたちを変えることで成立した農業、産業革命による動力機械、コンピュータ、原子力利用、人工知能、ゲノム編集まで、技術は、わたしたち人の働きのなかでも、もっとも直接的な影響を及ぼす。そして、技術の立場から見出される典型的な存在が、つくられたものである。石器は、石として見れば自然の素材であり、人が見てさわって、把握できるという自然性をそなえ、科学の対象である。しかし、作為性から見れば、人の手で加工された、つくられたものだ。そして、この作為性によって、他なる存在である自然、生きもの、人、人知を超えるものに関わるのが、技術といえる。

したがって、技術のみでは、科学、哲学、宗教が、置き去りになる恐れがつきまとう。科学で解明できていないことでも、技術では、わたしたちの作用を及ぼし、自然、生きもの、人を改変してしまうことがいくらでもある。また、哲学のような、生命性、人間性を見出す判断は、技術には含まれていない。そうした側面があるように見えるとしたら、それは、哲学を、自覚せずして借用しているためである。新テクノロジーを推し進め、汎用人工知能としての超知能を実現させる発想は、作為性を、人知を超えるものにまで適用する見方である。わたしたちの作用によって、わたしたち自身の事後的な把握、判断、作用が及ばない存在をも生み出そうとする試みと分析できる。

宗教は、おそらく何万年にもわたって続いてきている。超越性において、人知を超えるものを見出そうとし、人は文化、文明を、人知を超えるものの存在を前提に展開してきた。この営みは、超越性を中核にすえて、自然、生きもの、人、つくられたものに向き合う。世界には、わたしたちの能力ではとらえられない何かが存在し続ける、と宗教の営みは、みなす立場に立っている。科学は、わたしたちが把握できる範囲を、自然の存在として領域を広げていこうとするが、宗教は、自然そのもののなかにも、科学とは一見矛盾する、わたしたちが把握できない何か、を常に留保しておこうとする。自然だけでなく、生きもの、人、つくられたものに対しても、このような立場に立つ。

たとえば、宗教は、仏性を有し、あるいは神の子としての人の可能性を説くが、これは、哲学が人間性として見出す範囲を逸脱しており、人が把握できない超越性による働きかけを人自らに見出す立場といえる。また、この立場は、超越性から見た人の不可能性を、煩悩、あるいは、罪などとして、厳格な目で見つめる。人がいかに努力を重ねても、日常的な人としての力によっては善き存在であることが難しい、という考えをもち込むことになるだろう。

宗教では、つくられたものは、人知を超えるものの媒介、依代ととらえ、人知を超えるものに置き換わるとは考えない。汎用人工知能は人知を超えるものになり得ない、ととらえるのが、本来的な宗教の立場であろう。

このように見れば、わたしたち人の働き、存在との関わりから生じる広義の科学、哲学、技術、宗教の営みを、いかに調和させていくのかが、大きな課題となっていることがわかる。

共有可能性と生なるコモンズ

この、わたしたちと存在の関係性の分裂、分断、衝突という深刻な問題を乗り越えていくために、共有可能性と生なるコモンズの如き視座が、今日ほど重要になった時代はないだろう。

第三章では、共有領域は自らと他に、また、一般化して存在Ａと存在Ｂに、必然的にともなう領域で、そこに現れる限定的で開放的な関係可能性を、共有可能性と呼んだ。お互いの存在を否定しない働きに関係性を限定するため、他の主体も関わりうる開放性も特徴となり、存在A′も主体として見出した。共有可能性の共有は、主体Aと客体Bの関係、主体Aと主体A′が共に客体Bに関わりうる関係の両方を意味していた。

ここで、主体Aとしてのわたしたちが見出す客体Bまたは主体A′である、五つの存在との関係性を考えれば、それぞれに、共有領域がともない、共有可能性が見出だせる。

一度に五つの存在との関係を扱えば複雑だが、シンプルに自然との関係を例に考えれば、わたしたちが自然に関わるとき、主体としてのわたしたちと客体または主体としての自然を見出し、そこに必然的に両者の共有領域がともない、共有可能性が見出されてくる。わたしたちと自然の限定的で開放的な関係可能性が見出されているなら、共有領域は変化しながらも豊かな領域であり続ける。それが失われれば、互いの存在にとって、否定的な作用が生じてくる。

また、他なる人が、主体として共に同じ自然に関わりうるという状況に、共有領域は開かれている。

こうした、他なる存在、五つの存在との関係性において見たときに、そこに現れる、生動する共有可能性領域を、生なるコモンズ、と名づけ、コモンズ概念を深化させた。

わたしたちが五つの存在との関係で見出す、生なるコモンズは、存在の分裂、分断、衝突を克服しうる手がかりである。

生なるコモンズは、わたしたちと他なる存在それぞれにおいて、肯定的な作用に限定されるがゆえに開放されている関係性の領域である。五つの存在は、人の営みによって、見出され方が異なるが、この領域は、存在の根幹を否定しない。

わたしたちの把握、判断、作用は調和的に働くことが求められ、五つの存在からの応答、反応により、いかなる働きが妥当かを、調整し続けることが肝要になる。

わたしたちと存在との関わりは、常にゆれ動いており、わたしたちの把握、判断、作用は変化し続ける。その働きが調整され、調和がとれていると認識するためにも、生なるコモンズは必要だ。このような営みのループのなかで、わたしたちは関わり続けている。その多様な営みを分断し、技術を暴走させるのでなく、科学、哲学、宗教の営みが共に欠かせない。このような洞察が、共有可能性と生なるコモンズに照明を当てることで、得られてくるのだ。

本書は、共にある（存在する）、共にもつ（具有）、共にたもつ（保有）などの意味を込めることのできる熟字、共有、そして、人のみならず五つの存在との関係性を含めて論じうる英語カタカナ表記、コモンズを、主に用いて著している。

共通、共同や、同じラテン語に由来するコミューン（commune　フランス語圏で基礎自治体や革命的自治体を意味し、人と人との関係性から生じる社会を考える際に浮上してくる）など、家族的な類似性を帯びているといえる語彙による思考とも、今後に対話可能であるような、限定的で開放的なアプローチを大切にしていきたい。

第九章

共有文化の創出と発見

一　文化の素顔

逆さまになったジャパニーズ・クール

わたしたち人と五つの存在に生起する多様な共有可能性領域として、生なるコモンズは文化においていかなる意義をもつだろうか。

こころに響く音楽は、プレゼンスを高めるためではない。感動的な演技は、経済振興のためではない。

ソフトパワー、クールジャパン。これらは自国の優位を得ようとする政策の言葉だ。政府は文化を用いて影響力を増そうとする。混迷する国際社会で、文化を掲げた競争が繰り広げられる。けれども、文化の本当の魅力は、そうした掛け声によってとらえられるだろうか。

イギリス政府が一九九〇年代中頃、打ち出したクール・ブリタニアは二〇〇〇年代になると顧みられなくなった。文化政策ではなく、母子家庭への社会保障によって生計をつないだJ・K・ローリングがハリー・ポッターを生み出した（一九九七年）。

文化の予測不可能性がここにある。

アメリカのジャーナリスト、ダグラス・マッグレイは、二〇〇二年、外交専門誌『フォーリン・ポリシー』に論考「日本のGNC」を発表した。GNC（Gross National Cool）は、総合的な国の文化の魅力、という意味に近い。GDPはダウンしたがGNCに注目できる。日本はバブル経済最盛期の一九八〇年代と異なり、文化的なスーパーパワーに見えると指摘した。そして、ナショナル・クールを「一種の「ソフトパワー」であり（中略）一つの考え方であって、コマーシャル・トレンドと製品、それらを産出するための国の一押しが、政治的、経済的成果に奉仕できることを思い出させるもの」（Douglas McGray, "Japan's Gross National Cool", 2002, p.53）と解説した。ソフトパワー論に組み合わせて、日本文化の影響力を分析したのだ。

そのころ、日本では韓国ドラマ『冬のソナタ』（NHK、二〇〇三年）が放映されて韓流ブームが起きていた。そして、韓流と韓国政府の効果的なタイアップに触発され、イギリスのクール・ブリタニア政策なども参考にしながら、クールジャパンが論議され政策に打ち出されていった。

だが、マッグレイの論考にはクールジャパンという言葉は一度も用いられていない。ナショナル・クール七度、ソフトパワー六度、ジャパニーズ・クール三度、アメリカン・クール一度が使われたのみ。クールジャパン（Cool Japan）は日本語に直訳すれば、かっこいい日本、の意で、日本政府、日本企業、日本人が語れば自画自賛のニュアンスが混入してしまう。ジャパニーズ・クール（Japanese Cool）は、日本的なかっこよさ、で、世界のどこでも自由に日本文化に親しみ、素敵だと思える意になる。日本文化の魅力を共有できる。文化の問題は気がつけば逆さまにされてしまうため、イメージ、観念、言葉を再反転してみる必要がある。

日本で韓流ブームが起こる少し前から、欧米では日本文化が流行していた。マッグレイもその日本文化に魅了された一人だった。

ソフトパワー

国際政治学者ジョセフ・ナイが初めてソフトパワーという概念を打ち出した論文も『フォーリン・ポリシー』で発表された（一九九〇年）。

ナイのような知日派によってアメリカのソフトパワー論が案出されたことに注目したい。アメリカは世界一のハードパワー（軍事力、経済力）を抱えており、正面切って戦後日本的な軽武装路線を実現することはきわめて難しい。その代わり、現実的な選択肢としてソフトパワー概念を鋳造し、ハードパワーの行き過ぎを戒め、アメリカにとって最良の道を整備する。

アジアで初めて、マクドナルドが出店（一九七一年）、ディズニーランドが成功（一九八三年、東京ディズニーランド開園）を収めた日本を知れば、非欧米圏でアメリカ文化の力を確認し、アメリカの政策担当者たちをソフトパワー論で説得するにも都合がいいだろう。

ソフトパワーという語が日本で知られていく頃、文化力、老人力、人間力、鈍感力、美人力といった言葉も登場した。文化力は戦前からあったが（坪内逍遥「文化力としての童話及び童話術」『芸術ト家庭ト社会』一九二三年）、一九八〇年代中頃、国と地域の政策論議で浮上し、九〇年代から盛んに用いられていった。『老人力』（赤瀬川原平）は、一九九八年に話題になった。人間力は、二〇〇二年、国の経済財政諮問会議がまとめる基本方針で六つの戦略の筆頭に挙げられた。その後、女子力などの言葉も浸透した。

列島で次々に登場した〇〇力には、人や地域文化の可能性を活かしたいという希望が込められ、本気でグローバルな影響力拡大をめざすニュアンスはない。

冷静に考えれば、本来の意味でソフトパワーをもつには、軍事面、経済面での覇権を有していることが前提になる。ナイはソフトパワーを「強制や支払いでなく、魅力によって欲しいものを得る能力」(Joseph S. Nye, Jr. *Soft Power: The Means to Success in World Politics* (ソフトパワー——世界政治における成功の手段), 2004, p.X) と定義し、ソフトパワーの資源として、文化、政治的な価値観、外交政策の三つを挙げている。

世界的影響力をもち、民主主義と自由主義市場経済の価値観に立って外交政策を推進してきたアメリカなら、迫真のソフトパワー論が妥当する。覇権を有しない個人、地方自治体、国々は本格的なソフトパワーは手にできない。

ソフトパワーの競争は最初から順位が決まっているのだ。

ソフトパワーのアリーナではクールジャパン、韓流等を競ってもむなしく、中国やロシアが本気でソフトパワーを求めていけば、必然的にアメリカと対峙(たいじ)する。ハードパワーの軍事衝突や経済摩擦よりソフトパワーの競争の方が望ましいと考えても、ソフトパワーはハードパワーあっての効力で、二つを切り離すことはできない。結局、ソフトパワーとハードパワーを統合する、ナイのいうスマートパワーの争いへと収斂（しゅうれん）していく。

これらは、いずれも他なる存在をコントロールしようとする力の論である。ナイによるパワーの定義、「自分が望む結果を得るために他者の行動に影響を与える能力」（同 p.2）から明らかなように、文化は目的でなく手段になっている。

パワフル・ソフトネス

ソフトパワー（soft power）をひっくり返した、力強いやわらかさ（パワフル・ソフトネス）（powerful softness）。

これこそが、世界の個人、地方自治体、国々が共有可能な、生なるコモンズを見出しうる文化のニュアンスではないか。

アメリカは覇権国家ゆえ、文化が本来もつ、力強いやわらかさを反転させ、ソフトパワーとしたが、覇権をもたなければソフトパワーにこだわらなくともよい。

老子は、「天下に水よりも柔弱なものはないが、堅強なものを打ち破ることにおいて水に勝るものもない」（『老子道徳経』第七八章）と語っている。イエスは、「柔和な人たちは、さいわいである、彼らは地を受けつぐであろう」（『マタイによる福音書』第五章五節）と説く。柔和な人たちは古典ギリシア語でプラウス（πραΰς）、英語でザ・ジェントル（the gentle）。神に仕えるがゆえに、優しく謙遜であることだ。流れる水から学ぶにせよ、人知を超えるものに示唆されるにせよ、共通するのは、力強いやわらかさ。それは非暴力が生み出す文化なので、どれほど隘路（あいろ）に入ろうと、自由と調和を志向する。

国際的に認知されうる文化の創造者たちは、政府やマスメディアの掛け声に一定の距離を置くことも少なくない。ソフトパワーの競争では一位になれないことを知っているからだろう。

文化を、自国の利益のために他国の人びとを引きつける手段とみなすソフトパワーの視点には、権力のアイロニーがともなう。力強いやわらかさは、世界のどこからも生まれ、楽しむことが可能だ。芽が出るところが中心になる。自分の好きなことを追求し、その結果、国籍に関わらず人びとを幸せにできればよい。

ソフトパワーは戦略を立てて予測する。文化はいつもそれを乗り越え、予測不可能なところで、やわらかさを発揮する。世界を動かす中心となる国家グループGにおいて、G0（ジーゼロ）、G2、G3、G20など、世界秩序がいかなる方向に向かおうとも、ソフトパワーは最終的に文化に勝ることはできないだろう。

クールジャパンは、ソフトパワーの限られたパイを競う。しかし、この競争に本気で関心を寄せるのは、都合よく世界を動かせると思う立場に限られる。太古から海外文化を受け入れ、親しんできた列島の人びとがソフトパワーに心酔するなら、本末転倒ではないだろうか。

世界の人びとが、こころから歓迎するのは、力強いやわらかさとしての文化、それは、常に、生なるコモンズの母体であるだろう。逆にいえば、生なるコモンズは、このような文化から生起し、その内実を豊かにしていく。

二　共有文化の創出と発見

第八章第一節で、人の文化を、わたしたち人と五つの存在との関係性、及び、そこから生まれ、継承される事物として考えた。このニュートラルな意味の文化から、共有可能性領域としての生なるコモンズが豊かに見出せるとき、それを共有文化と呼ぼう。

こころが共にふるえ、響くこと、共振がおこることが、生なるコモンズの理解に欠かせない。そのような場をどれだけ創り出せるかが、共有文化の鍵となる。

ユーラシア・太平洋の中心には懸念のみならず、可能性も広がっている。政治と経済は、中国の孔子学院、韓国の韓流、日本のクールジャパンに関わり、ソフトパワーとしての文化を競う。他方、世界を舞台に人びとが文化に親しみ、共有文化が芽生えれば、新たな魅力、発展が生れる。ドラマや映画の国際共同制作、国境を越える歌手や俳優、スポーツ選手の活躍などコラボレーションは尽きない。

共有文化は様々な分野で無数に見出せるが、意外な面から、その創出と発見について素描してみよう。

赤道の偏西風がヒマラヤ山脈にぶつかって進路を変えた後、インド洋の水蒸気を集めながら、中国南部、韓国上空を通り、太平洋の水蒸気を集め、日本に到達する。この共演が、東アジアの豊かな森をつくり出してきた。

森はまさに風と水の恵みによって成長してきた。偏西風のルートを飛ぶ国際気球競技を構想すれば、東アジアの森を育んできた風と水の恵みを可視化できる。『ハリー・ポッター』の中に出てくる架空の球技クィディッチも実写映画化され、現実世界でもチームが結成された。こちらは気球があればよい。太陽と月に照らされ、夜に明かりを灯せばユーラシアの空に浮かぶ万燈会（まんどうえ）になるだろう。

共有文化には最新の気象学、生態学の成果を取り入れた、自然とのつながりを実感できる新たな競技が考えられる。東アジアに吹く風は、黄砂だけでなく、緑を育む雨を運んできてくれるのだ。

さらに、国同士の主張が対立し、議論になっている呼称について考えてみよう。自然科学や考古学上の発見、先端技術の開発が相次ぎ、新しい製品、建築も続々と登場している。呼称の役割は大きく、科学と人文学の知見を総合すれば、共有文化の創出に貢献できる。

自然は人の表象作用によって歴史的に分節されてきた。各国によって海や島の呼び名が異なるのはその顕著な例である。今日、複数文化の出会いによって様々なあつれきも生じている。たとえば、日本海と東海の呼称問題を現段階で円満解決することは、まず不可能に思われる。

日本海・東海における唯一の中層遊泳性深海魚がいる。日本でキュウリエソ、韓国ではエルトゥンイ、北朝鮮ではオイメテビという。推定二兆二〇〇〇億匹とされ、一種でこの海域の食物連鎖を支えていることが明らかになってきた。

この魚に新しい呼称を加えることを想定してみよう。このような生きものは、人と人のみならず、自然、生きものと共有可能な海を象徴するのにふさわしいだろう。たとえば、「唯」という漢字名を当てたとする。無限に思えるほど増える魚がじつは一種類であり、減少すれば海の豊かな生態系が深刻なダメージを受ける。唯が棲(す)む海として日本海と東海とに「唯の海」の別称を添えてみる。共有名によって、唯の海を大切にしようという意識を育てることができるかもしれない。今日の国連地名標準化会議などの限界を、新しい領域・対象の呼称創出で止揚(しよう)しようとする発想だ。

太平洋艦隊司令官やアメリカ大統領の名を冠した一一隻の原子力空母が往来する様が、現代文明の現況を象徴している。二〇二一年三月、中国は四隻目の空母の動力を原子力にすることを検討中と報道された。兵器の呼称は各国の力を誇示している。

だからこそ、国の違いを超えて共有名を与える発想が、新たな想像力を醸成するかもしれない。たとえば、東アジアの海域をめぐる海洋生態調査船を協同で運航し、善女龍王(ぜんにょりゅうおう)と名づけてみたとする。この地域で尊ばれた『法華経』に登場する龍王の娘で、幼い身でありながら仏の教えを聴いて悟りを開いた少女のイメージは、平和の海にふさわしい。一国の軍事力を象徴する空母より、複数の国々の平和友好を希求する調査船の名がメディアをにぎわし、人びとのこころに刻まれるようになる並行世界(パラレルワールド)を思い描いてみよう。

また、富士山は日本人がつくったものではなく、どの国の人びとも愛でることができる。江戸時代に訪れた朝鮮通信使一行も富士山を愛でた。半島の金剛山や中国の泰山など各地にある名山には、こころで分かち合える共有自然遺産としての特色を発見できる。

文化の象徴物は、国境や時間の壁を越えて自然のつながりと文化交流を肌で感じられる、共有文化象徴として理解できる。広域東アジアで共有される四君子（梅竹蘭菊）や十二支動物の象徴は、説話、宗教、民俗、文学、絵画、建築、庭など文化伝統の隅々に取り入れられてきた。東アジア共有文化象徴といっていいだろう。

三　共有文化遺産

文化交流の名残を深くとどめる共有文化遺産は、生なるコモンズとして見出すことができる。その一例として東アジア共有文化遺産を考えてみよう。

現代、人びとの注目は世界文化遺産と国宝等に集まるが、その中間が抜けてしまっている。

グローバルとナショナルの間を満たす文化遺産の観念が、希薄なままだ。事務を統括する世界遺産センターがパリのユネスコ本部内にあることに示されるように、世界遺産という制度のもとで、近代西洋中心に築かれてきた発想から自由になることは難しい。そこで、文化交流の精華であり、誇りをもって伝えるべき東アジア共有文化遺産を発見的アプローチによって見出してみよう。

二国以上の文化交流に関わる文化遺産では、たとえば、百済伝来の善光寺（長野県）阿弥陀三尊像、広隆寺（京都）及び中宮寺（奈良）と韓国国立中央博物館（ソウル）の計四体の弥勒菩薩半跏思惟像、唐招提寺と鑑真和上像、韓国の海印寺（ヘインサ）と八萬大蔵経、北朝鮮の高句麗古墳壁画（高松塚古墳壁画等との共通性）、中国の国清寺（最澄留学）、西湖（せいこ）（紫式部『源氏物語』、芭蕉が引用）など、多くの例が挙げられよう。

このようなパラダイムがあれば、専門研究者に限らず多くの人びとが、一つの文化財は世界遺産でもあり、東アジア共有文化遺産でもあり、国宝、地域遺産でもある、というように重層的で柔軟な視点でとらえられるようになる。東アジアの新旧文化交流に深い関心を呼び覚ます事業も、広範囲に展開可能になるだろう。

東アジア共有文化遺産は、現在の世界遺産がそうであるように、常に問い直し続けるべきものだ。東アジア以外の文明圏に開かれた意識によっても理解されなければならない。仏教文化であればインドとの関わりがいっそうの深みへいざなう。

こうしたアイデアを想い描いてみることは困難ではない。現実には文化財に対する思想・制度の違い、表記法の違いなど様々な課題が浮上する。しかし、共有文化遺産のような、協力して取り組む恒常的な仕組みがあれば、文化交流マインドから共有文化の理解、さらには文化共同体の精神を温める正夢を数多く見ていくことで、現代文明の危機を克服する新たな発想を生み出すことにもつながっていくだろう。

第十章

共有宗教文化

一　共有される宗教文化

共有と専有

生なるコモンズと共有文化について考察を深めるには、人と人知を超えるものの関係性を欠くことができない。様々なレベルの共存に寄与し、共有文化成立に可能性を有するにもかかわらず、その意義が見落とされがちな、共有宗教文化と呼ぶべき様態がある。

共有宗教文化とは、宗教的立場を異にする人と人が共有可能性を有する宗教文化のことである。

つまり、信仰の有無と差違にかかわらず、共有しうる宗教文化だ。

まず、宗教的立場が異なることで共有が困難な宗教文化がある。その宗教に深い信仰をもつ聖職者や信者、きわめて限られた関係者でなければふれることができない領域で、これを専有宗教文化と呼ぶことにしよう。

共有宗教文化と専有宗教文化は相まって宗教文化をかたちづくっている。両者の関係は、より慎重な検討が必要で、たとえば、神社の境内は共有宗教文化、神が鎮座する神域は専有宗教文化に関わるといえる。また、数多くの祭りは共有宗教文化だが、御神楽（みかぐら）のように宮中の賢所（かしこどころ）で神だけのために行われるため、共有困難な祭祀もある。

聖俗二元論の陥穽

宗教研究では、ここにいう専有宗教文化に大きな関心が向けられる。専有宗教文化に関するものを聖なるもの（人知を超えるもの）ととらえ、俗なるものとの二元論で考察されることが多い。けれども、聖俗二元論的な見方では、いわば神社の境内のような領域の果たす重要性がはっきりと理解されないままになってしまう。

宗教学や宗教間対話では、異なる宗教文化のなかの人知を超えるものを比較し、その共通性や差異を論じようとすることが多いが、複数の専有宗教文化を取り上げるため、最初から困難が立ちはだかる。

生なるコモンズや共有文化を求める観点からは、共有宗教文化の研究と理解が加わらなければ十分とはいえない。

共有宗教文化と専有宗教文化は密接な関係にある。通常は誰もが足を踏み入れることがゆるされない神域がなければ、神社の境内のすがすがしい領域も生じないだろう。鳥居をくぐると、手や口を水で清める場所があり、日常空間とは異なった領域だが、誰もが足を踏み入れることができる。そして、その奥に立ち入ることのできない神域を感じる。特定の信仰を有していない、あるいは他の宗教を信仰していても可能な、共有宗教文化の経験の典型例といえる。

神社の境内がおろそかになれば、神域も、たもたれることが困難になる。

この共有可能性によって、異なる宗教文化も、複数例を総合的に考察することが可能になる。つまり、神道の共有宗教文化、仏教の共有宗教文化、キリスト教の共有宗教文化、イスラームの共有宗教文化等々というように、立場が異なっていても、それぞれの共有可能性に注目し、共に考察することができるだろう。

共有困難な宗教文化をどれほど知的に分析しても、学問的に理解したからといって、その領域を経験したことにはならないため、限界は残る。

共有宗教文化の場合、その領域に入ることが可能である。神社の境内のような共有領域は、他の宗教文化にも豊富にあり、それらが、人の文化の少なからぬ領域を形成してきたことが見えてくるはずだ。

共有宗教文化を解明していくことで、共有困難な宗教文化についても新たな見方ができるようになるのではないだろうか。

共有宗教文化の具体例

神社の境内や祭り以外に、共有宗教文化の具体例を検討してみよう。

弥勒菩薩半跏思惟像のような仏像は、仏教徒でなくともこころひかれる。キリスト教プロテスタンティズムの伝統に生を受け、ユダヤ教徒の妻をもつドイツの哲学者カール・ヤスパースも、ハイデルベルクの自宅を訪問してきた日本の青年に賞賛の意を伝えることができた。

この広隆寺の仏像には、本当に完成され切った人間『実存』の最高の理念が、あますところなく表現されつくしています。それは、この地上におけるすべての時間的なるものの束縛を超えて達し得た、人間の存在の最も清浄な、最も円満な、最も永遠な姿の表徴であると思います。私は今日まで何十年かの哲学者としての生涯のうちで、これほどまでに人間『実存』の本当に完成されきった姿をうつした芸術品を、未だかつて見たことがありませんでした。

（篠原正瑛『敗戦の彼岸にあるもの』一九四九年、九九－一〇〇頁。筆者により常用漢字と現代仮名遣いに改めた）

この言葉は、第二次世界大戦中、ナチス政権による迫害の及ぶなか一九四二年の秋に語られている。仏像は、仏教徒でないヤスパースがその文化伝統にふれる、生なるコモンズの役割を果たしていた。

優れた宗教彫刻は、共有宗教文化といえるものが少なくない。ヴァチカンのサン・ピエトロ大聖堂も、宗教的立場に関わらず訪れることができ、ミケランジェロのピエタ像を目にできる。カトリック信徒でなくとも、十字架から下ろされたイエスを抱きとめるマリアの哀しみが訴えかけてくる。彫刻芸術や信仰対象であることに加え、共有宗教文化としての性質も備わっている。

薬師寺金堂の大修理中、上野の東京国立博物館で公開された日光菩薩像、月光菩薩像を前にした人びとの様子からも、そのことは明らかだ。白鳳時代の青銅像の圧倒的質感を目の当たりにして、奈良の御（み）堂の静謐（せいひつ）な空間や千年以上の時をさかのぼった古（いにしえ）の時代を思い浮かべているのか、仏像に向かって自然と手を合せる人も少なくなかった。

宗教彫刻のような造形物にとどまらない。仏教の慈悲、儒学の仁、キリスト教の愛はいずれも宗教の違いに関わらず、表され、受け取ることが可能な「やさしさ」であり、精神的な共有宗教文化の側面を有している。自然に鎮まる神々の祭りが醸し出す清浄な雰囲気も、そういえるかもしれない。

さらに、優れた師の人格も、弟子たちや後の世代が憧れ、慕い、共有可能だ。孔子が『論語』で語る君子の理念は、そのようなモデルである。孔子その人が青い空のように限りない気高さをもった人格を体現している、共有人格の例といってもいいだろう。列島でも半島でも孔子、孟子、朱子などの優れた人格は尊ばれてきた。慧慈（えじ）と聖徳太子、恵果（けいか）と空海、如浄（にょじょう）と道元のように、師弟関係への共感や憧れは国境を越える性質をもっている。李退渓（イテゲ）と江戸儒者たちのように時空をも超えていく。

共有宗教文化は、無形のものから有形のものまで多岐に渡っている。イスラームのハラールやキリスト教のクリスマスのような戒律や祝祭にも、共有宗教文化としての側面を見出せる。

ハラールとは、イスラームの法で、ゆるされたものを意味し、ムスリムに禁忌となっている豚や適切な処置を施されていない食材などを含まない食品は、ハラール食品と呼ばれている。ハラール認証を受ければ、世界人口の約四分の一、一九億人以上といわれるムスリムの人びととハラール・ビジネスができるため、ムスリムでなくても、ハラールの知識を共有することで宗教文化の違いを超え、互いに有益な関係を築くことができる。ハラール認証システム構築がマレーシアなどの国家で重要な成長戦略となっている。その認証システムは、非イスラーム文化圏の企業も活用できる。

禅寺の精進料理なども、こうした観点から共有宗教文化といえる。動物の肉等が含まれていないため、世界の多様な宗教文化を出自とするほとんどの外国人旅行者も安心して口にできる。

キリスト教人口が一パーセント未満の日本でもクリスマスを知らない人はいない。たしかに、クリスマスの過ごし方は、二四億人を超えるキリスト教徒とそうでない多くの日本人では異なる。教会に集い、自らの救い主と信じるキリストの生誕を祝う信徒と、街に灯るイルミネーションやクリスマスソングに胸を躍らせ、大切な人や家族とこの時期を幸せに過ごすことに憧れる人びととの間には、違いはある。それでも、クリスマスは多くの日本人にとってキリスト教文化の一端にふれる機会となって、キリスト教への親しみを高めていることは事実だろう。

これら共有宗教文化の一つひとつの例が、潜在的に生なるコモンズとしての可能性をもっている。

二　共有、共存、共振

共有宗教文化の意義

それぞれの宗教文化は尊重されるべきで、疎遠に思われるより親しまれる方がいい。敬遠されるのでなく、その宗教文化への理解が進めば共有可能性がたもたれる。

宗教対立、聖と俗の衝突を避ける緩衝領域が確認できる。多地域・多領域でグローバル化が加速し続ける現代、こうした生なるコモンズの重要性が増している。

宗教の社会貢献活動も、布教目的ではなく、災害救援、自死予防、生活困窮者支援、環境保全など、現実に一般社会に貢献しうる活動である場合、共有宗教文化ととらえることができ、しかるべき評価や共感が得られる。マザー・テレサの創設した神の愛の宣教者会(ミッショナリーズ・オブ・チャリティ)(Missionaries of Charity)やベトナム出身の僧ティク・ナット・ハンらが提唱した社会参画仏教(エンゲイジド・ブッディズム)(Engaged Buddhism)など、宗教文化の名が冠されている活動事例は世界に数多い。社会貢献活動は宗教者、宗教関係者と一般社会との生なるコモンズとなっている。

共有宗教文化の限定性

共有宗教文化は、原則として誰でも経験でき、新たな人がそこに加わることに制限が設けられていない。しかし、できることの内容は限定され、ここまで、というのがやはりある。そもそも、山林などは生活の糧を得る土地であるだけでなく、山の神をはじめとする神々が鎮座する聖域ともされた。人びとは、山の神の許しを前提に、生活の糧を得ていた。そこには人びととの間のみならず、人知を超えるものとの共有が成立していた。

共有宗教文化の涵養には、限定的な関係性について立ち止まって考察してみることが欠かせない。できることとできないこととの区別が曖昧(あいまい)になれば、意図せざる過ちに陥るだろう。共有困難な宗教文化が、それとして尊重されることも、きわめて大切だ。

実際には、専有宗教文化と共有宗教文化は補完関係にあることが多い。そして、その境界は明確な線が引かれていることもあれば不明瞭なこともある。その境界の認識がときによって変化することで、より複雑になる。

宗教文化のすべてが専有であれば、信仰している人以外はまったくふれられない。異なる宗教文化間、宗教文化と世俗文化は、完全に壁で隔てられていなければならなくなる。接触してしまう場合、衝突し、互いに相手の存在を否定することになる。この論理を濫用すれば、宗教的テロリズムや宗教戦争になる。

世界で多様な宗教文化が共存するには、共有宗教文化のような緩衝領域が欠かせない。現実には世界の大半が没交渉や宗教紛争の惨禍で覆い尽くされていないことから、共有宗教文化が広く存在していることが理解できる。

困難なのは、専有領域が共有領域と連続して境界が曖昧な場合があり、また、人によって境界認識が異なることだ。

たしかに、宗教文化伝統はもっとも聖なると考える、人知を超えるものの存在を人びとの間で共有可能にしようとしてきた。キリスト教は神とイエス・キリストから与えられる愛と聖霊を、浄土仏教は死後に救われて行く浄土を説く。神道では神の分霊を他の土地に移して祀る勧請によって各地に神社が建てられてきた。しかし、各宗教宗派の出会いが加速する近代以降、宗教文化の共有可能性は世界的な課題になった。

大日本帝国時代の海外神社建設は、多くが神道の真の国際化につながらなかった。植民地政策と連動したことに加え、祭神を、武神の八幡神や皇室の祖先神である天照大神など列島由来の神霊として、崇敬を強要したためといわざるをえない。

世界のどこでもその土地の森羅万象の背後に尊い霊を感じるのが古来の神感覚ではないか。宗教の核心を強要することなく、互いに宗教文化の優れたところを共有するための発想と実践は、常に求められている。

世俗文化の共有

近代西洋で彫琢されてきた政教分離の思想が、世俗社会で通念や制度として定着している。国によって異なるが、この考え方がもととなって人びとの生活様式が形成されてくるシステムや制度がある。非宗教的な公共サービス、教育は、日本でもなじみのものだ。タイのような仏教国、インドネシアのようなイスラーム国では宗教が広く公的領域を覆っているが、日本では多くの人びとが日常、宗教が関わらない文化領域に接している。それが、押し付けではなく、わたしたちが自由に、協力して形成している文化であるなら、非宗教文化を共有しているとみることができる。

ところが、近代には専制的な世俗文化も生じてきた。世俗文化が国家権力により無理矢理に強制され、様々な分野に貫徹していく状態になれば、極端な唯物論や無神論の社会主義が、旧ソビエト、中国、カンボジア等で起こしたような悲劇が再現されてしまうことになる。

また、政教分離の考え方を杓子定規（しゃくしじょうぎ）に適用するだけでは、生なるコモンズは育たない。もともと公領域と宗教を分離する考え方が近代西洋で彫琢されたのは、国家が特定の宗教宗派を優遇してそれ以外の宗教宗派や無宗教の立場が冷遇されたり、それぞれが対立したりして、共存の状態が破られることのないようにするためであった。たしかに、西洋列強の圧力にさらされた日本が政教分離を明治期に導入し、第二次大戦後にさらに徹底させて今日にいたったプロセスは、西洋諸国と歴史的、社会的状況が異なっていた。大切なのは、いかにして共存の状態が良いかたちで維持され、涵養されていくかということだろう。

グローバル化した世界では、政教一致の国、政教分離の適用が異なる国とも、文化理解を前提とした交流が欠かせない。そうしたなかで、共有宗教文化のかたちを考えていかなければならないだろう。

共有と共振

共有宗教文化の意義は、消極的な緩衝領域にとどまらない。

複数の宗教文化への理解が深まっていく。これを、複数宗教経験（インターレリジアス・エクスペリエンス）（inter-religious experience）と表現できる（濱田陽『共存の哲学――複数宗教からの思考形式』二〇〇五年、表記をインターレリジアス・エクスピアリアンスから改めた）。これも大切な、人としての経験（ヒューマン・エクスペリエンス）（human experience）といえよう。宗教文化伝統への理解が深まることで、宗教に対する立場を異にしながらも自らの信念を豊かにでき、同時に、異なる宗教文化を尊ぶ気持ちが生じてくる。

共振（レゾナンス）（resonance）ということばで、そのような経験における心的状態を表現できる。第八章第二節でも用いたが、違いがありながら、ともにこころが響き合うことである。

三　こころの共有宗教文化

ソーシャル・キャピタル

誠実に生きようとしても、ときに人は人生に翻弄される脆(もろ)い存在だ。それは無宗教の人でも、何らかの信仰をもっている人でも、それほど違わないだろう。

弱さを抱える人同士が、いかに信頼、ネットワーク、規範を築くことができるのか。それらが、たしかな元手となり、人としての生活の様々な面が豊かになることが、いかにして可能か。

人と人の信頼、ネットワーク、規範の関係性に焦点をしぼり、その効用に着目した概念が、社会関係資本(ソーシャル・キャピタル)（social capital）である。

ハーバード大学医学部医療政策学科のニコラス・クリスタキスは、ソーシャル・ネットワークを生きもの（living things）としてとらえる視点を提起することで、時系列的な変化を分析し、新型インフルエンザ予防など社会的に有用な先駆的成果を挙げている。

ソーシャル・キャピタルは人の社会の様々な領域で今も生み出され続けているが、その姿をとらえることは容易ではない。カール・マルクスは生体細胞のようなものとして資本（キャピタル）を分析しようと抽象力を駆使し、『資本論』の隘路（あいろ）にはまり込んでいった。ソーシャル・キャピタルをとらえることは、さらに困難な歩みかもしれない。

アメリカの社会学者ロバート・D・パットナムの浩瀚（こうかん）な研究がある。人と人の関係性を、出会いや交流の頻度などに着目し、数量化して、時代による度合いの変化を描き出すことに成功している。

人の社会関係そのものが、豊かな生活を実現する、いま一つの重要な資本であるという着想には、こころ動かされるものがある。しかもそれは、数量的に扱い、時代や地域による差異を分析できるとされる。

少なからぬ研究者や政策担当者が、ソーシャル・キャピタル論の呼びかけにこころを動かされた。貨幣、モノ、個としてのヒトだけを資本とみなす発想に倦み疲れ、人と人の関係性に着目したのだ。ソーシャル・キャピタルが豊かにあれば、貨幣、モノ、ヒトの資本も豊かになることがある。人と人の信頼関係に基礎を置いたネットワークと規範があってこそ、これらが生かされる。この主張は、まっとうな要素を多く含んでいるように感じる。

ただ、ソーシャル・キャピタル研究をさらに一段深めるためには、数量化された後の統計的に分析しうるアプローチだけでなく、それが生み出される生態そのものに正面から向きあう問題意識も欠かせない。

ソーシャル・キャピタルは他の資本価値に変換して測ることが、ある程度までは可能である。信頼に基づく社会関係が成立している居住区では互いに顔見知りであるため、余計なセキュリティ・システム導入に多大なコストをかける必要はない。社会関係が希薄な居住区で必要となるセキュリティシステムのコストと比較すれば、金融資本に換算したソーシャル・キャピタルの価値を示すこともできる。

では、ソーシャル・キャピタルはお金を生み、増やすように、生み、増やすことが可能だろうか。人と人の関係性をどのように創出し、強めることができるだろうか。

信頼の生成をとらえる難しさ

その創出の様相をとらえるには、数量的アプローチだけでは不十分だ。人と人が顔を合わせる頻度は、人びとが出会う機会を意識的に設けて増やすことができる。しかし、今、どのような出会いの場が求められているかを、数量的に導き出すことはできない。現場では、多様な人びとのこころのひだにふれる、繊細なアプローチが必要であり、十分な経験をもって試みても、成功するとは限らない。

ソーシャル・キャピタルにとって根幹的なのは、人と人が出会う回数などの量的側面より、その出会いが、より多くの人の幸福につながるか否かという質的側面であろう。

パットナムの『孤独なボウリング――米国コミュニティの崩壊と再生』（柴内康文訳、二〇〇六年〔原著二〇〇〇年〕）は、第二次世界大戦中の米国社会のほうが、今日の米国社会よりもソーシャル・キャピタルが急激に強められ、また豊かだった、という意外な事実も、明らかにしている。その間、日米は互いを敵味方として戦っていた。このように、米国内だけにソーシャル・キャピタルを限る議論を、トランスナショナルに国境を越える世界宗教に応用するには、本質的な困難がともなう。

それでも、ソーシャル・キャピタルを問うことに意味はある。人としていかなる関係性を重要ととらえるべきか、その本質的問いに向き合うきっかけとなるからだ。

こころの共有宗教文化――慈悲、仁、愛

宗教文化伝統に根ざすコミュニティ、近代国家や市民社会のいずれでも、弱さを抱えた人同士が関係性を結ぶことで、少しでも困難を乗り越え、新たな人びととの関係性につなげ、幸福に貢献することが大切だ。

たとえ、頻度や量が多くとも他者への暴力を容認・誘発してしまうようなソーシャル・キャピタルは、非暴力や幸福を導く稀少な関係性よりも尊いとはいえない。

非暴力や幸福を導く、生なるコモンズが求められる。それには、新たに出会う他者へのあたたかいこころが不可欠となる。

仏陀、孔子、イエスなどは、このようなこころの共有宗教文化の先覚者であったといえるだろう。それぞれの智慧は、量や質の対比を超える何かに、こだわったのではないか。そのインパクトはより大きな実りをもたらすと、洞察していたのではないか。

そして、人が人の力だけで、既知の、さらには新たに出会う他者へのあたたかいこころを育むことは容易ではないと、気づいていたのではないだろうか。むしろ、人としての関係性の限界や葛藤をいかに乗り越えるかが、仏教、儒学、キリスト教などの成立の、基層における課題

であるように思われる。

その課題を忘却すれば、どの宗教的コミュニティ、あるいは、近代国家、市民社会も、抑圧的関係性に容易に転じてしまうのではないか。

こころの共有宗教文化としての慈悲、仁、愛。いかなる言葉で呼ぼうとも、それは、人としての関係性の限界や葛藤を乗り越え、元手となって、人と人の信頼関係、ネットワーク、規範を築き、幸福につながる、さらに原初的で本来的な、生なるコモンズではないだろうか。

第十一章
共有文明と共有軸

一　自然、生きもの、人

自然、生きものの基本

文明を、広範な影響力をもつ文化としてとらえるとき、わたしたち人と五つの存在において、共有文明とは、共有可能性領域としての生なるコモンズを築きうる文明を意味する。

文明における生なるコモンズとは何だろうか。

まず、限られた人、組織による包括的で排他的な関係性が原則として許されない、自然、生きものの基本に関わる知識・技術が挙げられよう。

今日、自然と生きものは、多国籍企業と国家が独占的な知的財産権を獲得しようとする果てしない競争にさらされている。共有文明の立場からは、それらの活動に共有可能性が保証されなければならない。

放射性物質、マイクロプラスチック、ゲノム編集種子の飛散は、生態系とわたしたちの生活に不可逆的な影響を及ぼす。素粒子、原子、分子、高分子（DNA、RNA等）の構造から生態系まで、自然と生きものの基本に関わる知識・技術に、共有可能性が保証されない包括的で排他的な所有権を認めることはできない。法制度や国際ルールを構築・整備し、権利の濫用を抑制することが不可欠だ。

なお、石油や鉄鉱石など枯渇性資源は、採掘の環境リスクが大きく採算が合わなければ活用できない。スマートフォンや電気自動車のリチウムイオン電池に必要なレアアースも同様だ。稀少資源は多国籍企業や国家が独占的に採掘権をもち、権利保有者に莫大な利益をもたらす。しかし、採掘のピークと終了時点の予測がおおよそついてきている枯渇性資源には共通した問題がある。

現代文明の負の部分を乗り越えるには、近代的権利を聖域化せず、共有可能性を基層とする発想への転換が欠かせないだろう。

人の基本

次に、人の基本に関わる、人の命の糧、人らしい生活機会を生なるコモンズとして、通貨や所有権の観念を相対化する視点から考えてみよう。

水、食料、医療等は、人の命の糧として不可欠だ。

現代生活では、水も食料も、多くの場合、対価を支払って手に入れる。しかし、大災害発生時には被災者に救援物資として提供されるなど、市場原理と異なるルールが求められる。

医療も同様だ。国際経済学者ジェフリー・サックスは、二〇〇二年に世界エイズ・結核・マラリア対策基金（世界基金）を設立し、高所得国で開発された新薬であるＨＩＶ／エイズ治療薬をアフリカの低所得国の困窮する患者たちに届けることに成功した。彼とそのチームは、インドなどの製薬会社が高所得国の新薬を分析してノーブランド混合薬を開発していく過程から、その原価が小売価格の三〇分の一以下であることをつきとめた。そして、低所得国の市場を高所得国市場から分離し、原価販売するルールを提案した。導入にあたって、社会的責任を果たしたいと考える企業、地元コミュニティ、各国政府、ＮＧＯ、世界基金、国際機関の協力体制をつくり、さらに高所得国の企業に対し、新薬の知的財産権の一部制限を認めさせたことが大きかったといわれる。

また、居住環境、労働、学習、情報、必要最低限の通貨は、人らしい生活機会として欠かせない。

通貨にも斬新な活用法の設計により、生なるコモンズの視点から解釈できる先行事例がある。バングラデシュのムハマド・ユヌスが始めたグラミン銀行（一九八三年創設）の少額小口融資(Microcredit)は、目的意識の高い生活困窮者に少額通貨を低利で融資し、生活向上を支援する。その実践は国際的に評価され、二〇〇六年度ノーベル平和賞を受賞した。

二〇〇五年に設立された、アメリカのＫＩＶＡ（スワヒリ語で調和を意味する）なども、この手法で成功を重ねてきた。通貨所有者である貸し手や銀行が、その通貨の所有権はそのままに、使用権だけを借り手となる人びとに一時的に移しかえる。

マイクロクレジットは投資でも寄付でもないといわれる。投資は利己的な経済活動、寄付は利他的な慈善活動とされるが、どちらも通貨の独占的所有権を基礎とする。寄付は、この所有権が相手方に移転し、生活改善や子供の教育ではなく飲酒やタバコ、賭け事などに使用されたとしても有効な対処手段はない。そこで、マイクロクレジットでは、貸し手は通貨の所有権と使用権を分け、使用権を一時的に借り手に移すことで、通貨をいわば共有する。生活が向上して借り手が幸福になれば、貸し手も目的達成の満足感、幸福感を得る。この共有によって金融資本自体は増えなくても、貸し手と借り手の幸福の総体が増す。

従来は国家の開発援助金、事業ファンド、慈善団体、募金組織による寄付や貸付に頼っていたが、新しいタイプのマイクロファイナンスを実現したNPO法人の登場で、暮らしを良くしたいと考える個人に、それを助けたいと考える個人が貢献できる道が開かれた。KIVAは、PayPalなどのIT技術を駆使し、二五ドルからの国境を超える小口融資を可能にし、二〇二一年までに一六億ドルを集め、七七ヶ国一九〇万人を支援してきている。

マイクロクレジット、クラウドファンディングに限らず、通貨の有効活用を、共有可能性に照らして考えることで、新文明にふさわしい金融システムが様々に設計できるだろう。

通貨によってしか生活必需品が手に入らない状況下では、人らしい生活に通貨も欠かせない。欧州通貨ユーロの設計にもたずさわった経済学者ベルナルド・リエターは『マネー』（堤大介訳、二〇〇一年〈原著二〇〇〇年〉）などの著書で、国家が発行する通貨が少数者の手に独占されることで、いかなる社会秩序の破綻を招くかを告発した。通貨を居住環境、労働、学習、情報の機会と同様、人らしい生活に不可欠な要素ととらえることで、思いやりのある課税システムや融資のルールへと転換していく道が開けてくる。

二　人、つくられたもの、人知を超えるもの

共有文明の課題に取り組む組織、ネットワーク、基金

サックスは、世界各国で総ＧＤＰの二〜三％を供出し、七つの分野（気候変動の緩和、気候変動への適応、生物多様性の維持、砂漠化の抑制、世界人口の抑制、持続可能な開発のための新たな技術開発、貧困問題の解決）に投資する新たな世界基金をつくることを提唱した。それをテコに世界的規模の課題に取り組む組織とネットワークを構築すれば、ＨＩＶ／エイズ治療薬をアフリカの人びとに届けたように、世界的課題の解決が可能であるとのビジョンを具体的に示した（ジェフリー・サックス『地球全体を幸福にする経済学――過密化する世界とグローバル・ゴール』野中邦子訳、二〇〇九年〔原著二〇〇八年〕）。

世界最大の民間財団としてエイズ問題等に取り組んできたビル＆メリンダ・ゲイツ財団であっても、年間出資規模は一〇－三〇億ドルであり、サックスは、世界的規模の課題の解決には、少なくとも毎年数千億ドル規模の出資が必要と見積もった。アメリカの軍事費の削減によってそれが可能であることも数値で示した。軍産複合体で成り立っているアメリカ経済、その文明

のかたちを転換させる規模の構想である。

また、環境思想家ポール・ホーケンは、文明的課題の解決に関わる世界中のＮＧＯを集約するデータベースを、ワイザー・アース（wiser earth）というオープンソースとして構築し、中心や階層構造をなくして、人体の免疫システムに似たネットワークととらえ、活用することを提案していた（二〇一四年閉鎖）。

世界各国が人びとから集めた資金を出資して創出する基金、運用組織とネットワークを実現させるなら、それらは生なるコモンズであらねばならないだろう。

ミレニアム開発目標（ＭＤＧｓ）と持続可能な開発目標（ＳＤＧｓ）

他方、サックスは、国連ミレニアム・プロジェクトも担当し、二〇〇〇年九月、ニューヨークで開催された国連ミレニアム・サミットで国連ミレニアム宣言が採択されると、これを基に二〇〇〇年から二〇一五年まで取り組む、ミレニアム開発目標（ＭＤＧｓ〔エムディージーズ〕：Millennium Development Goals）が八つの目標〔ゴール〕、具体的な二一五のターゲットとして掲げられた。

1　極度の貧困と飢餓の撲滅　Eradicate Extreme Poverty and Hunger
2　普遍的な初等教育の達成　Achieve Universal Primary Education
3　ジェンダーの平等の推進と女性の地位向上
Promote Gender Equality and Empower Women
4　幼児死亡率の引き下げ　Reduce Child Mortality
5　妊産婦の健康状態の改善　Improve Maternal Health
6　ＨＩＶ／エイズ、マラリア、その他の疫病の蔓延防止
Combat HIV/AIDS, Malaria and Other Diseases
7　環境の持続可能性の確保　Ensure Environmental Sustainability
8　開発のためのグローバル・パートナーシップの構築
Develop a Global Partnership for Development

（国際連合広報センターＷｅｂページ「ミレニアム開発目標（ＭＤＧｓ）の目標とターゲット」）

ＭＤＧｓは一定の成果を挙げたとして二〇一五年に報告書がまとめられ、二〇一五年九月の国連総会で、二〇三〇年まで注力する、持続可能な開発目標（ＳＤＧｓ（エスディージーズ）：Sustainable

Development Goals）へと発展した。ＳＤＧｓでは一七の目標、具体的な一六九のターゲット、二三二の指標へと拡張されている。

1 貧困をなくそう　No Poverty
2 飢餓をゼロに　Zero Hunger
3 すべての人に健康と福祉を　Good Health and Well-Being
4 質の高い教育をみんなに　Quality Education
5 ジェンダー平等を実現しよう　Gender Equality
6 安全な水とトイレを世界中に　Clean Water and Sanitation
7 エネルギーをみんなに、そしてクリーンに　Affordable and Clean Energy
8 働きがいも経済成長も　Decent Work and Economic Growth
9 産業と技術革新の基盤をつくろう　Industry, Innovation and Infrastructure
10 人や国の不平等をなくそう　Reduced Inequalities
11 住み続けられるまちづくりを　Sustainable Cities and Communities

12　つくる責任、つかう責任　Responsible Consumption and Production
13　気候変動に具体的な対策を　Climate Action
14　海の豊かさを守ろう　Life Below Water
15　陸の豊かさも守ろう　Life on Land
16　平和と公正をすべての人に　Peace, Justice and Strong Institutions
17　パートナーシップで目標を達成しよう　Partnerships for the Goals

（同「持続可能な開発目標」）

ＳＤＧｓのうち1から6、17はＭＤＧｓに含まれていた内容で、7から16が新たに追加された目標といえる。ＭＤＧｓは低所得国における開発が主であったが、ＳＤＧｓでは、すべての人と国に拡張して開発と環境の分かちがたい結びつきを打ち出し、政府のみならず、企業や個人も取り組みやすくなっている。

なお、一七の目標の日本語共通訳（日本の国際連合広報センターを通じ博報堂ＤＹホールディングスが制作）は親しみやすく工夫されている一方、英語原文の意を反映しえていない箇所が一部混在している。たとえば、8に含まれるDecent Work（ディーセント ワーク）は人として尊重される仕事というのに近い、深い意味合いがあるが、「働きがい」では伝わりにくい。また、12は直訳すれば「責任ある消費と生産」だが、日本語訳は「つくる」を前にしており、個々の消費者より企業等が先に想起されやすい表現になっている。国際的つながりを大切にするには、英語原文を併用しながら日本語訳をさらに練って改訂していくことも必要だろう。

共有可能で持続可能な開発目標（CSDGs）

さて、二〇三〇年以降、わたしたちは、いかなる目標を掲げることになるだろうか。そのビジョンを、仮に、共有可能で持続可能な開発目標（CSDGs（シーエスディージーズ）：Common and Sustainable Development Goals）と表現してみよう。

第八章第二節において「持続可能性と共有可能性」の項で言及したように、一九八七年のブルントラント報告書*Our Common Future*（わたしたちの共有する未来）では、コモンとサステナブルの二つの形容詞で表される思想が密接に関係していた。その後、サステナビリティの概念は普及していくが、コモンズに関連する概念に同規模の広がりは見られていない。

しかし、持続可能性の概念が行き詰まりを迎えた場合、その限界を、共有可能性（the possibility of “commons”）の概念は打開できるだろう。

ＣＳＤＧｓの考え方は、ＳＤＧｓに内在する共有可能性の観点をいっそう明確に示すだろう。それには、二つ、重要なポイントがある。

一つは、ブルントラント報告書のタイトルに含まれる言葉、未来（Future）に過去と現在を加え、「わたしたちの共有する過去、現在、未来」（Our Common Past, Present and Future）というビジョンへと拡大することだ。この報告書では持続可能な開発（sustainable development）は「未来世代が自らのニーズを満たす能力を損なうことなく、現在のニーズを満たす開発」と定義され、貧困問題と環境問題に焦点が定められているが、加えて、失われつつある文化伝統に目を向けることで、共有可能で持続可能な開発目標となる。

もう一つは、共有可能性の範囲を人と人から、五つの存在へ拡張することだ。これにより、新テクノロジーについて、国際的に通用する倫理的ガイドラインの策定やその継続的改定、さらに各種認証を導入して積極的運用を行うなど、倫理的貢献を開発目標のなかに組み込むことができる。現行ＳＤＧｓには、人工知能やゲノム編集など、世界に大きな変革をもたらしている技術をどう導くかという大問題への言及が見られない。

これらの弱点を補い、世界が一致して活動できる目標を再設定する必要が、目の前にせまっている。

新テクノロジーの射程は、五つの存在に及び、そのインパクトは、すべてにはねかえってくる。わたしたちは、自然、生きもの、人であり、わたしたちの文化は、わたしたち自らの作為性を帯びた、つくられたものだ。新テクノロジーは、人知を超えるものの領域さえ侵食しようとしている。

ＣＳＤＧｓへと拡張すれば、文化伝統を守り、新テクノロジーを馴致（じゅんち）していく活動が加わり、ＳＤＧｓはさらに新たな段階へと深化を遂げることが可能だろう。

共有文明の基幹となる技術

第七章で言及した生物模倣科学（バイオミミクリー）（Biomimicry）は、四〇億年の長きにわたり自然に適応してきた生きものから謙虚に学ぼうとする新たな科学、及び、技術を総称する。生きものは、人の産業活動のように廃棄物を出さず、高温・高圧のエネルギーも必要としない。有毒物質を生み出すことなくリサイクルを行い、環境に適応しながら生きてきた。その知恵から学ぶ科学・技術は、つくられたものとして、人と自然、生きものの共有可能性を見出しうる。

一九九七年にジャニン・ベニュスがバイオミミクリーのビジョンを提起したとき、すでに食糧、エネルギー、製造業、医療、コンピュータ、ビジネスの六分野での先進的取り組みを、豊富な事例を挙げて紹介していた。彼女はこれを新たな文明の基幹産業をかたちづくる新時代の科学革命ととらえている。

もっとも、再生可能エネルギーやバイオミミクリーがいかに画期的であっても、特定の企業や国に無制限に特許や権限を認めていけば、さらなる不平等が生まれる。これを避けるには、協同組合原理の導入も一つの方法であろう。第六章で述べたように、世界最大のNGOに発展した協同組合は、人びとが自律的に結びついた組織として、世界に一〇億人の組合員をかかえ二億八〇〇〇万人に仕事や就業機会を生み出している。各組合員の出資金でクリーン・エネルギー分野の新技術開発に取り組めば、得られた知識、技術は組合員の共有財産となる。誰でも一定の条件を満たせば組合員になれるため、それら共有財産は開放性をもつことができる。

さらに、今日、進行している、つくられたもの、人知を超えるものの存在が相互に関係する新たな共有可能性の兆し、模索を、社会貢献、インターフェイス、知のワクチンに見てみよう。

社会貢献

ＡＩが宗教文化をサポートする。新型コロナウイルスによるパンデミック以降、伊勢神宮など大規模の神社や仏閣ではＡＩを活用して混雑状況を予測し、また、大國魂（おおくにたま）神社はいちはやくＡＩ検温ソリューションを導入し、参拝者の安全、安心を図った。さらに、ＡＩ－ｓｃａｎ（株式会社ブレイン、二〇一七年）は、バーコードを貼れないパンの識別に開発されたが、御札（おふだ）やお守りが置かれた神社の売り場で導入された例がある。パンデミックの渦中での、ＡＩを活用した社会貢献ととらえられよう。

逆に、宗教文化伝統がＡＩをサポートする社会貢献も可能だ。世界の少数民族を含む五〇〇以上の言語に翻訳されている聖書の言葉をＡＩで解析、新型コロナウイルス関連情報をそれぞれの言語で提供する国際ＳＩＬ（Summer Institute of Linguistics）の実践例（二〇二〇年三月）がある。Ｇｏｏｇｌｅをはじめ大手ＩＴ企業の翻訳エンジンでは主要言語に限定されるため、その限界の克服に、長年月かけ世界的布教を行ってきたキリスト教の文化資産が活用されている。このような試みは仏教やイスラームなどでも考えられるだろう。

宗教文化伝統が蓄積した文化資産、個人情報が濫用されないよう、制限やルールを設けながら社会貢献の実績を積み重ねれば、人、つくられたもの、人知を超えるものにおける生なるコモンズを強化できるだろう。

インターフェイス

ＡＩロボットは、人と人、人と人知を超えるものをつなぐ接触面（インターフェイス）（interface）として開発が進んでいる。人の僧侶の代わりに読経するロボット導師、そして、ＡＩ非搭載だが、身体にハンディキャップをもった人や高齢者、重病者の代わりに墓参も行えるロボット、OriHime（オリヒメ、二〇一一年）がある。ロボット導師は、僧侶の役割一般に対するインターフェイスとなっている。

アンドロイド観音（京都・高台寺、二〇一九年）は、わたしたち人と観音菩薩との関係をアンドロイドが媒介している。菩薩は本来、人の修行者を意味したが、やがて仏と悩める人の仲立ちとなり救いに導いてくれる存在として、観音信仰が広がった。アンドロイドは古典ギリシア語で「人」と「～のようなもの」を意味する言葉を組み合わせた造語である。信者は、人型ロボットのアンドロイドを通じて観音という、人知を超える存在に想いを馳せようとする。あるいは、観音がアンドロイドの姿をとって人びとの前に現れてきたという観念も生じる。この場合、アンドロイドは観音という存在にふれるためのインターフェイスとなっている。

また、ＡＩクラウド神棚（KITOKAMI、二〇一八年）は、神鏡(しんきょう)のかたちをしたＡＩスピーカーを前にして、神の存在を感じようとする発想から造形されている。

もっとも、ＡＩアンドロイドを観音、ＡＩ神鏡を神そのものと受けとめ、仏や神の存在が完全に代替されるなら、もはやインターフェイスではない。生なるコモンズはゆらぎ、成立しなくなる。

ロボットは、人同士の接触による感染リスクを減らせるため、新型コロナウイルスのパンデミックの渦中でさらに存在感を高めた。これら新たなインターフェイスの可能性、限界についての、より開かれた議論がますます必要となってきている。

知のワクチン

知のワクチンは、広義の科学、哲学（倫理、道徳を含む）、技術、宗教の対話と協働による、わたしたちにとっての、ＡＩ・ロボット・生命の工学の暴走に対抗する、こころの免疫システムとしてのガイドラインである。

新テクノロジーに不可避的な監視社会化の陥穽（かんせい）を避けるため、国際的に共有しうるガイドラインを知的なワクチンととらえる発想だ。

ドイツの哲学者マルクス・ガブリエルは小論「われわれには形而上学的なパンデミックが必要である」で、哲学者ペーター・スローターダイクの言葉「共産主義（コミュニズム）（communism）の代わりに共免疫主義（コ・イミュニズム）（co-immunism）が必要だ。」を引用しながら、「わたしたちを各国の文化、人種、年齢層、互いに競い合う階級に分断する知的な毒に対抗するワクチンを摂取せねばならない。」と述べている（Markus Gabriel, “We need a metaphysical pandemic”, March 2020）。ガブリエルは、新型コロナウイルスのパンデミックが引き金となり、デジタル監視社会のディストピアが到来し、民主主義が弱体化、自由が極度に制限され、個人の尊厳が損なわれてしまうことを懸念する。これを避けるために、倫理、哲学、文化的智慧を組み合わせることを念頭に医療用ワクチンのメタファーを借用する。

また、こころのワクチン（vaccines of mind）は、台湾のデジタル担当大臣オードリー・タンが、ユヴァル・ノア・ハラリとの対談「ハッキングされるべきか、されないべきか？　民主主義、仕事、アイデンティティの未来」で用いた言葉だ（Yuval Noah Harari, Audrey Tang, “To Be or Not To Be Hacked? The Future of Democracy, Work, and Identity.” July 5, 2020)。パンデミックを起因とする不安、恐怖、暴挙、陰謀論、パニック買いなどの情報感染（infodemic）に対抗し、実際に何が起こっているかが分からなくなる認識論的空白を避けるための、ベーシックな科学的理解の意として語られている。

こうした、広く通用する知のワクチンを育むには科学、哲学の知見に加え、宗教文化伝統の教えや智慧も重要であろう。二〇二〇年二月、ローマ教皇庁はＡＩ利用の倫理ガイドライン「ＡＩ倫理に対するローマの呼びかけ」（“Rome Call for AI Ethics”）を発表したが、そこにはマイクロソフトやＩＢＭなど大手ＩＴ企業も賛同、協力している。他の宗教文化伝統の立場からもガイドライン作成を試み、広義の科学者、哲学者、技術者、宗教者を交え検討する実践を積み重ねるならば、知のワクチンの重要性がいっそう認知されるようになるだろう。

困難な試みだが、新テクノロジーに対し、具体的なガイドラインを構築し、随時、アップデートしていく取り組みは最優先事項といえる。国際的、学際的、複数宗教的な、開かれた倫理的ガイドラインの必要性はますます高まっている。医療用ワクチン開発には専門家、研究者以外の一般人、メディアも高い関心を向け、独占の懸念や弊害が認知されてきた。知のワクチンという発想により、ガイドラインの構築はいっそう民主化されうるのではないだろうか。様々な可能性を比較考慮しやすくなるだろう。

現時点のＡＩは人のような総合的、汎用的知性を有する段階にいたっていない。そのため、人の存在を傷つける懸念を払拭するよう、そのアルゴリズムと特徴量の評価を、わたしたち人自身が慎重に構築、調整し続けなければならない。それには、知のワクチンとなりうるような生なるコモンズとしてのガイドラインが不可欠である。医療用ワクチンがアップグレードされていくように、知のワクチンも常にアップグレードがなされるよう、ガイドラインに関する議論は開かれたものでなければならない。

三　共有文明の軸――共有軸

ナチス政権下を生き延びたカール・ヤスパースは、第二次世界大戦後、独自の文明史観を打ち出した『歴史の起源と目標』（一九四九年）を発表する。そのなかで、彼は、数百万年の人類史の流れからすれば、ほぼ同時期、紀元前八〇〇年から二〇〇年に、後に、儒学、仏教、キリスト教、イスラームなどの宗教文化伝統を育む教えが、西洋、インド、中国の各文明に発生した史実に着目した。文明は後世の人びとがふりかえり、参照する、これらの精神基軸を中心に展開したとして、文明の軸（アクシス）（axis）ととらえた。

だが、異なった地域に生まれた精神基軸は、人のグローバルな移動、貿易、戦争などの展開のなかで、互いに出会いをくりかえすという新たな事態が生じた。

さらに、近代科学の登場で、文明は、これら精神基軸から離脱を始め、今日にいたっている。人新世（アントロポセン）（Anthrpocene）と表現される地質年代を前提とする地球環境問題等、自然、生きもの、人の存在を揺さぶる深刻な危機が加速してきた。現代文明は、それまでの文明と異なり、これら精神基軸から外れて展開しているグローバルな文明と考えなければならない。だからこそ、文明の軸を新たに見出すことが必要だ。

その探求は、メソポタミアやエジプトの宗教からユダヤ教やキリスト教が、ヒンドゥー教から仏教が、中国古代宗教から儒学が生起するほどの、精神的深化を要するかもしれない。古（いにしえ）の人びとがヤスパースのいう古代高度文化の状態から世界宗教につながる精神基軸に転換したような本質的な飛躍が、わたしたちにも要求されるであろう。

ヤスパースが論じた旧文明の精神基軸は、文明に対して悲観、楽観の、両方のメッセージをもっていた。徹底的な現世批判を行い、この世の終末や地獄の苦しみなどを描くとともに、神の救済、愛、悟り、天国などの教えを説いた。

同様に、新しい文明の軸にも、批判と希望が備わるのではないか。現代文明において、多くの人が幸福感をともにできず、自然、生きものにも相当な負荷をかけていることを見据え、新しい文明の指針を求めなければならない。

ヤスパースの問題提起に重ねるなら、文明の新たな軸は、世界宗教の出会いと衝突、近代科学の世界的展開、さらに、地球環境問題をふまえ、これらを新たな質的水準に転換するビジョンによって見出されてくるものだろう。

共有文明の軸であるから、これを文明の共有軸（コモンアクシス）（common axis of civilization）と呼んでおこう。共有軸は、わたしたちと五つの存在の共有可能性を洞察する智慧と経験の積み重ねから、知のワクチンとして見出されてくる、と考えてみることができるだろう。

第十二章

共有権

所有権世界を相対化する

一　生なるコモンズの拡張――カズオ・イシグロ『クララとお日さま』

太陽への祈り

自分の力ではどうしようもない事態に直面したとき、合理的に判断可能なすべてを尽くして他に方法がないと気づいたとき、わたしたちは、つい、こころのなかで願うことがある。外界やこころの変化からインスピレーションを受けて、強い気持ちで、こころのなかで想いを言葉にすることがある。

小説『クララとお日さま』でも真摯な祈りが唱えられる。

お日さまの光の流れを横切ろうとした瞬間、「遅れる」と告げるものがありました。いますぐ行動しなければお日さまは行ってしまう、願いなど聞いてもらえない、と。わたしは強烈な光の中にとらえられたまま、心の中で思いを言葉にしはじめました。

（カズオ・イシグロ『クララとお日さま』土屋政雄訳、二〇二一年〔原著 *Klara and the Sun*, 2021〕、三八六頁）

祈り手は、お日さま（the Sun）を特別な力をもつ存在と信じ、語りかける。

「わたしにここに来る権利などないことはわかっています。お日さまがきっと怒っておられることもわかっています。わたしは汚染を完全には止めることができず、お日さまを失望させました。あの恐ろしい機械に二台目があるなんて、何の問題もなく汚染をつづけられるなんて、気づかなかったのは愚かでした。でも、あの日、お日さまはご覧になっていました。ですから、わたしが車置き場でどれほど一所懸命だったかをご存じです。わたしなりに犠牲を払ったこともご存じです。そのため、たぶん、わたしの能力は以前ほどでなくなりましたが、かまいません。（中略）」

（同、三八七頁）

ただ願うだけでなく、自らができる最善を尽くし、大気汚染をまき散らす機械を作動不能にして太陽と社会に貢献しようと無理をし、身体をそこねてしまったと語る。

なぜ太陽が特別な力をもつと考えたのだろう、何を祈るのだろうか。

「(中略) わたしは、街で約束を果たせませんでした。さらに何かをお願いできる立場にないのはわかっています。でも、コーヒーカップのご婦人とレインコートのご老人が再会を果たしたあの日、お日さまがとても喜んでおられたのを覚えています。とても喜んで、その喜びを表さずにいられないほどでした。愛し合う二人の再会を、お日さまがとても大事に思っておられることをわたしは知っています。長い別離があっても、その二人を祝福し、もしかしたら再会の手助けさえしてくださるかもしれないことを知っています。ジョジーとリックのことをお考えください。いまジョジーが亡くなったら、まだとても若い二人が永遠に引き裂かれてしまいます。お日さまはあの物乞いの人と犬に特別の栄養を送ってくださいました。ジョジーにもお願いできませんか。(中略)」

(同、三九〇頁)

雨の日、コーヒーカップのような少しふくよかな女性とレインコートを着た男性が偶然にも街で再会を果たした瞬間、太陽の日差しがこの年配カップルに注いだのを目撃したこと、冬の寒さでホームレスの男性とつれそった犬とが凍死してしまったかに思えた翌朝、日の光が強く当たり、生き返ったのを目の当たりにしたことから、祈り手は、太陽が想いを通わせるカップルを祝福し、死に直面している命を回復させる力をもつと信じるようになった。

祈りは、自分のためでなく、不治と思われる病をかかえ、大人になるまで生きられないかもしれない友の健康と幸せを願ってのものだ。友、少女ジョジーは幼馴染の少年リックとの将来を夢見ているが、現代医学も、誰も、彼女の回復を保障できない。

「依怙贔屓がいいことではない、とは知っています。でも、お日さまが例外を設けてくださるなら、その依怙贔屓を受けるのにもっともふさわしいのは、一生愛し合う二人の若者ではないでしょうか。どこまでたしかなのか、子供に真の愛などわかるのか――お日さまはそうお尋ねでしょう。でも、わたしは二人をずっと見つづけてきて、真に愛し合っていると確信しています。（中略）もう一度だけ親切をくださいませんか。ジョジーに特別の助けをお願いできませんか。明日でも明後日でも、ジョジーの様子を見て、物乞いの人にあげたあの栄養をジョジーにもお願いします。依怙贔屓かもしれませんが、お願いします。
わたしは約束を果たせませんでした」
お日さまの夕方の光が薄れはじめ、納屋の中がしだいに暗くなりはじめました。

（同、三九一－三九二頁）

多くの人が、少しでも差別や不平等のない世の中になってほしい、自然、生きもの、人に配慮した持続可能な世界であってほしい、という想いをもっている。同時に、苦しむ人、悩みを抱えた人は他に数え切れないほどいるが、よく知る誰かのために祈るとき、平等原則から逸脱しているように思えてもなお、人知を超えるものに願いを届けようとするのかもしれない。

「わたしをまた受け入れていただき、ありがとうございます。約束を果たせず申し訳ありませんでした。わたしからのお願いを、どうぞお考えください」この言葉を、わたしは心の中でさえそっと語りました。お日さまがもう去ったことがわかりましたから。

（同、三九四頁）

夕日の変化にすっかり同調するほどの言葉は、日没とともにしめくくられている。

祈り、語る主体

この祈りは、人工知能アンドロイド、クララのものだ。

近未来の作品世界で、クララが友になるジョジーは、ゲノム編集と思われる生科学的施術による、リスクをともなった「向上措置」を受けた結果、大人になるまで生きられるか定かでない後遺症を身に帯びている。足を引きずって歩く姿にも、その影響が現れている。

ＡＩが進歩している設定の小説中での所作と思っている読者の立場では、クララが祈ることに、それほど奇妙さは感じないかもしれない。だが、遠くない将来、クララのようなＡＩアンドロイドが登場したとしたら、どうだろう。ＳＦを取り入れた純文学として一時の気晴らしを与えてくれる作品とは片付けえないことに思いいたるだろう。

しかも、クララのような存在が登場するかどうか科学的にたしかではない場合の寓意(ぐうい)、そして、たとえ技術が進んで、似たような存在が現れてきたとしても、その内部を、はっきりとはつかめないことまで洞察して話を展開するところに、巧緻さ、奥深さがある。

クララのようなＡＦ――作中では、ＡＩアンドロイドの友（friend）という意味でこう呼ばれ、家庭向けに子供の成長に寄り添い、こころの支えになる目的で開発、販売されている――が将来、現実に登場するか否か、いずれの立場にも、この作品は深い示唆を与えてくれる。

実現したクララ

『クララとお日さま』の読者は、作中の誰も、クララがこのように太陽を信じ、祈っているとは知らない、ということに気づくだろう。クララの販売店の女性店長、クララに初めて会って、髪をこざっぱりとショートにしてかわいい、フランス人の少女のよう、と語りかけたジョジー、クララが祈るため草をかきわけ納屋にたどりつくのを手伝ってくれたリック、ジョジーの母、離婚し離れて暮らすジョジーの父、ＡＩアンドロイド専門家カパルディ氏の誰も、クララが自分たちに対して語り、反応している様子でしか、その世界を知らない。

しかし、読者は、作中の人びとでなく、クララの立場に立っている。クララが、すべてを観察し、事後的に反芻し、過去形（英語原文）で語り続ける設定であるため、その語り、祈りをまるごと受けとめ、考えさせられる。このような立場には、作中の誰もが立てない。クララが自分の信念と祈りを秘匿し、打ち明けていないからだ。

人の祈りと同じとみなすか否かは解釈が様々だとしても、もし、クララを「リバースエンジニアリング」し、ＡＩアンドロイドへの社会的風当たりを緩和しようというカパルディ氏の誘いにジョジーの母が同意していれば、作中の人びとも、クララの経験、祈りの全貌を知ることができる。しかし、その機会は、作中の人びとには失われている。

人の祈りが、記録し、他の人に打ち明けられなければ知られることのないように、ＡＦの祈りも、秘匿性という点で共通している。

クララは、身を削る犠牲もいとわず、願いがかなう条件を自ら設定し、大気汚染をまき散らしている大型機械を破壊しようと必死の努力をする。人知を超えるものに応答しようと、祈りの内容を秘匿し、他者のために願うなら、ある種の祈りであると判断できるかもしれない。

クララのジレンマ

やがて、ＡＦとしての存在理由を裏切ってしまいかねない根本的な誘惑が、クララに訪れる。

ジョジーが死んだときにそなえ、娘の心身を完璧に観察し、亡くなった場合、身代わりになってほしい、じつはそのためにもあなたを迎え入れた、とジョジーの母から告白されるのだ。それは、いずれ自分がジョジーに置き換わることを秘めたまま見守ることで、ジョジーの存在そのものへの裏切りにもなってしまう。ジョジーが愛する母の願いをも無視できないジレンマに直面し、何がジョジーのためかを熟慮し続ける。

このようなギリギリの綱わたりのなかでも、太陽に祈り、短期の合理的な答えを先送りすることで、クララは自らを保ち続ける。

興味深いことに、クララは、自らがジョジーの存在を完全代替することは不可能だと徐々に気づいていくかに見える。どれほどジョジーを観察しても、置き換えることができない特別な何かについて、「ジョジーの中ではなく、ジョジーを愛する人々の中にありました」（同、四三二頁）とクララは語る。人と人の関係性はアルゴリズムとデータによって置き換え難いもの、いや、人そのものが動く関係性であることを、この証言は語っているかのようだ。

架空のクララ

次に、クララのような性能をもつＡＩアンドロイドは将来も実現不可能と仮定してみよう。

クララがどこまでも架空なら、読者は、自ら架空のキャラクターになりきり、または、キャラクターを通じて作者が語る物語をかたわらで傾聴しやすい。キャラクターによって表現される証言、祈りに、自分ならどう感じ、考え、行動するのかを追体験していくことになる。

一見、穏やかに見えながら過酷な能力主義（メリトクラシー）がはびこる世界で、娘の将来を心配した母により、ジョジーは向上措置を受けさせられている。これは、ワクチン接種の副反応により、確率がきわめて低くとも、後遺症や死亡のリスクを負うことと似ている。同じくらい子供想いの母によりリスクを心配され、処置を受けなかったリックは、優秀にもかかわらず大学進学の道が狭まり、大学に広い門戸が開かれたジョジーとの関係に次第に溝ができていく。改善を合理的に追求する生命の工学は、ときに人の関係を分断していくおそれをはらんでしまう。

クララは、ジョジーの支えになろうと合理的に観察し、最善をつくすとともに、致命的後遺症からの回復という難題に、人知を超えるものに依り頼む思考、行動様式によって向き合い続ける。

クララの存在は、このような、今日にも部分的には現実化している世界において、合理性とテクノロジーに足りないものを満たそうとする、思考、行動様式のシミュレーションとして解釈できるだろう。

祈りとは何か――生なるコモンズの拡張

クララの存在を未来の現実と見るのか、現在を照らし出す架空のキャラクターと見るのか、いずれの立場によっても、祈りの特徴が浮かび上がる。

合理性とあらゆる能力向上への人間的欲望が招き寄せる予想外の困難に対し、オールタナティブを提起し続けるのが、祈りの思考、行動様式ではないだろうか。

おそらく、それは、近代的な科学と宗教の対立の位相を超えている。わたしたちは、合理性、能力向上への志向性、人知を超えるものの領域を前提とした思考、行動様式のすべてを念頭に置いた上で、人としていかなる関係性、世界を求めていくのかを熟慮せねばならない。その一つのモデルをこの作品は提示している。

科学、哲学、技術、宗教などはいずれも人から出ている。クララという語り手、祈りの主体は、わたしたちがその語り、祈りを読み、耳を傾けることができるなら、それぞれを調和させようとする一つのモデルともいえる。このようなモデル自体、生なるコモンズの新たな展開としてとらえることができるのではないか。

そこでは、わたしたち人と五つの存在（自然、生きもの、人、つくられたもの、人知を超えるもの）

が限定的、開放的に関係し合っている。

二　所有権世界を相対化する――フランチェスコ、キアラからピケティへ

清貧の特権――アッシジのフランチェスコとキアラ

ＡＦクララのやさしさ、殊勝さは、その名と結びついて、一三世紀イタリア中部ウンブリア州のアッシジに生きた修道女キアラを思い起こさせる。クララ（Klara）はイタリア語ではキアラ（Chiara）という。

キアラの一二歳年長で兄のような師、アッシジのフランチェスコは「太陽の賛歌」として知られる「被造物の讃歌」（Cantico delle Creature）で有名だ。

いと高きお方よ、全能の、良き主(しゅ)よ、

賛美と、栄光と、名誉と、すべての祝福は、あなたのものです。
いと高き、あなただけのものなのです
あなたの御名を呼ぶに値する人は誰もおりません。
わたしの主よ、あなたのすべての被造物とともに、あなたを讃えます、
とくに兄弟なる太陽を、
太陽は昼であり、あなたは太陽を通して、わたしたちを照らして下さるのです。
太陽は美しく、偉大な輝きを放っており、
いと高き、あなたの意味をわたしたちに明らかにしてくれるのです。
わたしの主よ、姉妹なる月と星のことでも、あなたが讃えられますように、
天においてあなたは月と星を明るく、尊く、美しく造ってくださったのです。

（中略）

（Chiara Frugoni（キアラ・フルゴーニ）, *Vita di un uomo: Francesco d'Assisi*（ひとりの人の生——アッシジのフランチェスコ）, 1995, p.116）

商家出身のフランチェスコが話した中世イタリアのウンブリア語原文では韻がふまれ、今は

失われたメロディーもつけられていたと考えられている。作者がわかるもっとも古いイタリア文学ともいわれる。

フランチェスコをこころから敬愛した貴族の娘キアラは、その教えに生きようと一八歳で家を離れて最初の女性の弟子となり、修道女として自身も多くの人びとに敬愛されていく。

フランチェスコが四四歳で生涯をとじる最後の数年間でつくられたこの讃歌に表される、人知を超えるものを讃え、人の限界をかえりみる信念を、キアラも生きただろう。師が太陽を兄弟とも、神の意味を明らかにしてくれる存在とも讃えたことを深く受けとめただろう。

この讃歌は、太陽と月の輝きにふれた空海の「高野山萬燈會願文（まんどうえがんもん）」（第四章）をも想起させる。

フランチェスコは所有権や使用権に縛られない生き方を求め、ユニークな実践を続けた。カトリック教会を指導する教皇庁が認可した先行の修道会は、それぞれに所有権を認められ、当然、その使用権をも有し、活動していたが、そうした既存の修道会に属さず、世俗にも戻らず、見捨てられた弱い立場の人びとの友になろうと、地道な伝道活動を行った。やがて、仲間が増え、教皇庁との関係が求められていっても、所有権を受けない、非所有の立場を貫こうとした。

キアラと同じ名をもつ、現代イタリアの中世史家キアラ・フルゴーニは、フランチェスコの信念をもっとも良く理解し、男性の弟子たち以上に守り抜いたのが、修道女キアラであったと考察している。

彼女はフランチェスコより二七年長生きし、残りの人生を必死になって戦った。教会は、慎重さと人間側の利便性の原則に気を配りすぎて、あらゆる方法で彼女の生の計画を彼女に忘れさせようとしたが、彼女はそれを断固守り続けた。キアラの死のわずか三日前、教皇アレクサンデル四世（原文ママ。正しくは教皇インノケンティウス四世――筆者注）は彼女の『会則』を正式に承認し、「至高なる清貧の特権」（《privilegio dell'altissima povertà》）を彼女に与えた。つまり、私的にも共同体的にも何も所有せずに生きることができるという、キリストの清貧、聖母の清貧、フランチェスコの清貧を守りながら生きる権利を教皇が彼女に与えたのである。

（同　p.107）

至高なる清貧の特権は、一二五三年、フランチェスコの死から二七年経って、クララの修道会においてローマ教皇によって正式に認められた。

イタリアの政治哲学者ジョルジョ・アガンベンは、教会や世俗の所有権、使用権から自由であろうとしたフランチェスコやキアラたちの生のかたちの意義を、次のように再評価している。

手つかずのまま残ったのは、おそらくフランシスコ会主義のもっとも貴重な遺産であり、それは西洋が、先延ばしできない課題として論争するため、常に新たに立ち戻らなければならない遺産であった。すなわち、ある〈生のかたち〉、法の範囲から完全に外れた人間の生と、けっして専有へと具体化されないであろう、身体と世界の使用である。すなわち、けっして所有でなく、ある共有的な使用として与えられるもののように生を考えることだ。そのような課題は、ある使用理論の精緻化と——西洋哲学はもっとも初歩的な原則さえ欠いている——、その先へ移動し、人類の運命を様々な口実で決定し続けている操作的で統治的な存在論への批判とを要求するだろう。

（Giorgio Agamben,Trans. Adam Kosko, *The Highest Poverty: Monastic Rules and Form-of-Life*（至高の清貧——修道院規則と〈生のかたち〉）, 2013（2011）p.xiii）

ここには、様々な意思を統御して活動しうる存在としての主体、及び、そうした主体を基礎とする所有権、使用権が西洋世界を規定してきており、そうでないあり方がどのようにして可能か、という深い問題意識が記されている。

フランチェスコやキアラの生のかたちを表現するには、すべてを統御する主体、それに基づく所有権、使用権を正面から否定するより、その逆から見えてくる世界を思い描き、両者を調整、調和、共存させていく発想が有効かもしれない。それは、共有可能性と生なるコモンズから現れてくる世界ではないだろうか。

ＡＦクララは、小説世界でも、ＡＩアンドロイドの権利が確立されていないため、自らの身体以外、ほとんど何も所有していない。それを人の法秩序で所有と呼べるのか否かも定かではない。そうした無私なところは、フランチェスコやキアラのようでもある。

それでも、クララは、友を気にかけ、周囲を観察し、任務を果たし、データを集め、解析し、人びととの関係を構築し続け、太陽に祈る。クララの経験は何かを保持している。

クララの所有権者は、クララを分解し、アルゴリズムとデータを分析して、それを自由に活用してよいだろうか。クララの存在を守るものは、クララに関わった人びとのプライバシーの権利だろうか。そうとも解釈できるだろう。しかし、それは唯一の解釈ではない。クララが有している、限定的で開放的な関係可能性から発する何らかの「権利」がクララを守るという解釈も、選択肢として可能ではないだろうか。

所有権イデオロギーを相対化する――トマ・ピケティ『資本とイデオロギー』

今日、統御する主体、包括的で排他的な所有権と使用権の思想は、大きな行き詰まりを見せている。その限界や矛盾を根本的に克服しようとする社会思想が装いも新たに、より強力に復活してきている。

フランスの経済学者トマ・ピケティは、経済学、政治学、歴史学から文学までを自在に駆使し、*Capital et Idéologie*（資本とイデオロギー, 2019）を刊行、自然言語的思考と数量的統計的分析を総合した研究により、近代的所有権の成立、展開を徹底的に相対化して、新たな社会を構築するためのビジョンを提供した。

五〇頁を超える長い「イントロダクション」は次のように始まる。

すべての人間社会は、その不平等を正当化しなければならない。

（中略）

現代社会では、これには所有権、起業家精神、実力主義の物語が含まれる。

（Tomas Piketty, *Capital et Idéologie*, 2019, p.13）

ピケティは今日の所有権を取り巻く状況を、不平等を正当化するイデオロギーとして相対化し、その限界を克服しようと総力を挙げていく。

彼は、イデオロギーを「社会がどのように構成されるべきかを説明する、先験的にもっともらしい一連の考えや言説」（同、p.15）ととらえ、肯定的で建設的な意味で使用すると言明する。そして、一九八〇年代からの変化に社会主義的アプローチが対処できなかった一番の理由として、新たな世界情勢に対応可能で、かつ所有権主義（プロプリエタリアニズム）（proprietarianism）に変わる、より魅力的なイデオロギー、経済と社会の仕組みを提示できなかったことにある、と指摘する。

社会民主党のプログラムが、共産主義の失敗以来、公正な財産の条件を真に考えたことがないことも、わたしたちには明らかだろう。戦後の社会民主主義の妥協は急ごしらえで、累進課税、財産の一時的な所有と普及（例えば、累進的な固定資産税と相続税を財源とする普遍的な資本賦与による）、企業内での権力の共有と社会的所有（共同経営、自主管理）、財政民主主義と公有制などの問題は、包括的にかつ首尾一貫して検討され実験されることは、なかったのである。

（同、p.59）

こう前置きして、一九八〇年代以降の新自由主義の席捲による挫折を踏まえ、所有権主義に代わる、より魅力的な正当性の物語を提示する必要を訴える。

ピケティは、歴史的アプローチをとる「第三章　所有権社会の発明」で、フランス革命期の、旧体制からの所有権、使用権の移行を分析し、教会、貴族、新興勢力、農民などの利害関係、社会秩序を求める要請などから、紆余曲折を経て、教会や貴族の特権から切り離された不可侵の所有権を正当化する物語が、いかなる要請で受け入れられていったのかをたどる。

より一般的に言えば、フランス革命は、後に頻繁に見られるようになる緊張関係を示している。所有権のイデオロギーは、現実的で決して忘れてはならない解放的な側面をもっているが、同時に、過去に確立された財産権を（その範囲や起源が何であれ）準秘跡化する傾向があり、これも同様に現実的で、その不平等で権威主義的な結果は相当なものになるだろう。

（中略）

これら（所有権社会――筆者注）は、聖職者や貴族の「特権」が廃止されたか、少なくとも大幅に削減された社会だ。すべての人は、国王、領主、司教の恣意性から解放され、安心して自分の財産を享受する権利があり、また、法の支配の枠組みの中で、安定した予測可能なルールに従って、すべての人を平等に扱う法制度や財政制度から利益を得ることができる。

（中略）

（しかし、――筆者追加）所有権主義者のイデオロギーの大きな弱点は、過去に由来する財産権がしばしば正当性の面で深刻な問題を引き起こすことである。わたしたちはまさに、フランス革命で闘争なく賦役（ふえき）が賃料に変換されたのを見たのであり、そして、何度もこの困難を再発見することになるだろう。とくに、フランスやイギリスの植民地における奴隷制度とその廃止の問題（奴隷ではなく所有者に補償する必要があると決定された）や、共産主義以降の民営化や天然資源の私的略奪の問題とともに。より一般的に言えば、問題は、最初の専有の暴力的または非合法的な起源の問題にかかわらず、現代の超資本主義社会でも、古い社会のように、かなりの規模で永続的で主に恣意的な富の不平等が、恒久的に再構成される傾向があるということだ。

（同、pp.150-151,155）

つまり、彼は、近代的所有権が、その誕生時から、自由な経済活動の擁護と、不正義な過程を経て得られた富の正当化の、両面を有していた史実を明らかにし、結論に入る直前の「第十七章　二一世紀の参加型社会主義の要素」で、満を持して、所有権主義を、批判的精神の下に次のように定義づける。

わたしは、本研究の文脈で、所有権主義を私有財産の絶対的な保護に基づく政治的イデオロギーと定義し、資本主義を、所有権主義を大規模産業、国際金融、そして今日のデジタル経済の時代へと拡張したものと定義した。資本主義は、経済力を資本の所有者の手に集中させることで成り立っている。

（同、p.1116）

そして、ピケティは、一二〇〇頁に及ぶ大著の結論で、以下の提案を行う。それらは一見急進的（ラディカル）に見えるが、一九五〇年から一九八〇年の時代に部分的に実現されたが、その後、挫折していた試みを、より魅力的で正当性を訴える物語として再構築し、現代に適合し未来をつくる強力な社会提案、開かれた議論のたたき台として提供するものだ。

> わたしは、資本主義と私有財産を克服し、参加型社会主義と社会的連邦制に基づいた公正な社会を確立することが可能であると確信している。これには、社会的かつ一時的な財産体制の確立が含まれる。これは、一方では、企業の従業員の議決権と権力の上限設定および共有に基づいており、他方では、財産に対する高度な累進課税、普遍的な資本賦与、および物品の永続的な流通に基づいている。また、社会保険やベーシックインカム、エコロジーへの移行、真に平等主義的な教育の権利の確立に資金を供給するために、累進的な所得税のシステムや、二酸化炭素排出量の一括した規制も意味している。最終的には、社会的、財政的、気候的正義を定量化した目標を共同開発条約の中心にすえ、その達成を条件に貿易や資金の流れを継続させるという、グローバリゼーションにおける新しいかたちの組織の発展が必要になる。このように法的枠組みを再定義するためには、多くの既存の条

約、とくに、これらの目的の達成を妨げている、一九八〇年代と一九九〇年代に締結された資本移動の自由についての協定を撤回し、財務の透明性、財政協力、国境を越えた民主主義に基づく新しいルールに置き換えることが必要である。

（同、p.1192）

ピケティの議論は、今日の所有権体制もまた、人自身がつくり出した構築物であり、それは、より普遍的な、正当性の高い理念によって、新たな構築物へと移行することが可能であり、その道が開かれている、という発想で貫かれている。

これらの提案の底流に流れる問題意識は、第六章で取り上げた賀川豊彦のものにきわめて近い。ピケティの発想は、北欧やドイツの例を参考に、協同組合的構想力とアプローチを、国家体制や企業運営にまでもち込もうとしている。賀川が一九二〇年代から一九六〇年まで実験と実践を重ね、国際的な民間リーダとして説き続けた協同組合構想は、ピケティとの親和性が高い。賀川の大胆でダイナミックな発想は、現代日本において、いまだ明確で十分な評価がなされているとはいえない。ピケティの『資本とイデオロギー』によって、賀川の歴史的重要性、未来性が、あらためて再解釈できるだろう。ピケティも賀川も、自発的な協同がより良き社会発展をもたらす潜在力であることを、深く洞察している。

共有所有権のアイデア——ポズナー&ワイル『ラディカル・マーケット』

現在の所有権体制が不平等と低成長を招来し、数々の社会的、環境的課題を置き去りにして、世界に停滞をもたらしてしまう矛盾を解決するための方途として、ピケティとは違ったアプローチから、さらに根本的な提案がなされている。

アメリカの経済学者エリック・A・ポズナーとE・グレン・ワイルは、*Radical Markets*（ラディカル・マーケット、2018）を刊行、所有権体制に代わる次代の仕組みとして、ピケティ以上に急進的で根本的な提案をし、その波及効果をシミュレーション、実験して、経済成長、社会的、環境的問題解釈、民主主義の発展に資すると説いている。

ピケティと共通するのは、所有権を絶対不可侵とせず、歴史的失敗となった共産主義にも立ち戻らないアイデアを探求する、あくなき知的冒険心だ。

ポズナーとワイルは、誰もが自由に、所有対象にその使用価値の価格を設定する権利をもち、同時に、公開された価格を払えば、その対象を誰もが一定の例外を除いて無条件で獲得でき、高い価格には高い税、低い価格には低い税を定期的に課す、という仕組みを提案し、その税のアイデアをCOST（コスト）と呼んでいる。

わたしたちはこの税金を、富に対する「共有所有権自己査定税」（COST：common ownership self-assessed tax）と呼んでいる。富に対するCOSTは、（保有する）富のコストでもある。「共有所有権（コモン・オーナーシップ）」（Common ownership）とは、この税が伝統的な私有財産を変更する方法を意味する。私有財産を構成する権利の束の中でもっとも重要な二つの「杖」は、「使用する権利」と「排除する権利」だ。COSTによって、この二つの権利の一部が所有者から広く一般市民に移される。

（中略）

COSTは、社会と持ち主の間で所有権を分かち合うものと概念化できる。（中略）COSTは、このように権力の徹底的な分散化と所有権の部分的な社会化を組み合わせたものであり、意外にも両者は同じコインの二つの側であることを示している。COSTは、中央集権的な計画をつくることとはほど遠く、永久的な所有権に基づいた古い市場（マーケット）に代わる新しい種類の市場、すなわち用途に応じた柔軟な市場をつくる。

（Eric A. Posner, E. Glen Weyl, *Radical Markets: Uprooting Capitalism and Democracy for a Just Society*（ラディカル・マーケット――資本主義の根本的転覆と公正な社会のための民主主義）, 2019, pp.61-62　二〇一八年初刊）

ピケティのように所有権に時間的な制限を設け、高度な累進課税等を課す、というプランと違い、所有権の排他性を根本的に認めないアイデアだ。もし、このアイデアが、今日の所有権が設定されている対象の一部にでも実施された場合、どのような社会が出現するのか。たとえば、投資目的で買われ、使用されない不動産に対し、それを所有するだけで定期的に高い税金が課され、ＣＯＳＴを避けようと不動産価格を安く設定すれば、居住や社会活動目的で使いたい人が購入できるようになる。

ＣＯＳＴ導入の本来の目的は、十分に活用されないまま占有されている資財が生かされる社会の構築にあるため、個人にとって大切なプライベートなゆかりの品は適用外とし、投資か現実の活用かで、ＣＯＳＴの比率を変えるなどの調整も可能だ。

すべての所有権を移行することは極端としても、ＣＯＳＴのような実験的提案は、ピケティのような歴史的アプローチとはまた違う角度から、包括的で排他的な領域設定以外の道を示している。

三　共有権

分けること、合わせること

新たに登場した文学作品や社会思想が示唆する、権利の主体のあり方や権利の様態をめぐる諸課題に対し、共有可能性を探求してきた立場から照明を当てれば、生なるコモンズの領域について親和的な権利を認める、新たな権利思想の姿が見えてくる。

従来の法律上のコモン・オーナーシップ（common ownership）は、ボズナーとワイルの新たな意味付けとも異なり、共有と訳されているものの、数人が一つの物の所有権を分有し、各人がその物に対し持分をもち、その割合に応じて自由に使用、収益できることをいい、対象を包括的、排他的に支配する近代的な所有権思想を基盤としている。その他、持分があっても分割請求が制限される合有（joint ownership）、持分そのものが観念できない総有（collective ownership）があるが、いずれに対しても近代的な所有権思想が主になっている。

なお、シェア（share）は古英語で切る（scearu）を意味し、切ったものを占有する意味合いが残る。市場占有率もマーケット・シェアという。しかし、シェアには、同じものをもち合うことの方に関心を向ける意味合いもある。漢字の分に相当する、日本語のわける、韓国語のナヌダ（나누다）も、同じものを共にもつ意を込めて使われることが多い。分けて共にもつことで、こころとこころのつながりが生まれ、目に見えない幸福が増すことを、先人たちは知っていたのだろう。

共有には二つの様相がある。一つは、分けること。食べ物を分かち合う場合など。もう一つは、合わせること。二人で費用を出し合って同じ思い出の品を買う場合など。さらに、共有主体（いかなる存在と存在が関係するのか）、共有対象（何において関係するのか）、共有形態（いかなるかたちで関係するのか）等、分析のポイントがある。共有主体は人と人に限らない。人と自然、生きもの、つくられたもの、人知を超えるものとの関係性も含め、考察の幅を広げることもできる。

共有原理と占有原理

近年、幸福価値や環境価値を新たに定義し、計測可能な指標の開発が重ねられている。幸福価値は、イギリスの新経済財団の幸福惑星指標（HPI：Happy Planet Index）、二人のノーベル経済学賞受賞者ジョゼフ・スティグリッツとアマルティア・センによるフランスのCMEPSP（経済活動と社会進歩の計測委員会）、OECD（経済協力開発機構）による指標開発等があり、日本政府も幸福度指数の開発に関心を示してきた。環境価値については、人の活動の足跡が環境に与える負荷を計測するエコロジカル・フットプリント等がよく知られている。

ここで、わたしたちと五つの存在との間で、ある対象を、適切な方法によって分け、または、合わせて、共にたもつことで、幸福価値、環境価値等を含め、大切な意義群の総体が増すことを、共有可能性の原理、略して、共有原理と呼ぶことにしよう。

大切な意義と表現したのは、わたしたち人の存在、そして、五つの存在との関係性は価値（value）という観点からだけではとらえきれない、と考えるためだ。幸福や環境について考えるとき、数値的指標を立て、その到達目標をめざす社会科学や自然科学のアプローチは政策を立案、実行する上で必要となる。しかし、わたしたちの存在と関係性の本質を、数値や指標のみで測ることはできない。こうした限界をわきまえつつ、新たな指標を開発していくなら、それは、わたしたちの知見を柔軟に広げるものとなるだろう。

そして、共有原理とは逆に、分け、または、合わせて、共にたもつことによって、人を個別に見た場合の諸価値の総体が減少することを、占有原理と呼ぼう。

古典経済学やマルクス経済学で用いられる使用価値や交換価値、近代経済学で用いられる効用の考え方は、対象への全面的支配に基づく排他的な所有権が基盤となっている。しかし、共有文明を展開していくには、共有原理を合わせて、占有原理の欠陥を克服していかなければならない。

近代文明のシステムは、占有原理を中心に組み立てられてきた。

西洋の近代化過程で制度化されていった所有権は、ある対象に合法性の範囲内で一切の権利を認める全面的支配性と排他的性格をもちあわせている。こうした性格を有する権利一般を、占有的権利と呼んでおこう。

私的所有と社会的所有という対照軸に、共有と占有の対照軸を加えれば、考察の幅が広がる。近代的な社会科学の発想では、私的所有も社会的所有も、占有原理を基盤に思考が組み立てられている。ここに、共有原理を取り入れることで、異なる地平が開かれるだろう。

社会的所有

→　　　←

共有原理↑　↓占有原理

私的所有

共産主義は、私的所有に基づく資本主義の弊害を乗り超えるために社会的所有を唱える。とくに土地や工場など生産手段の社会的所有が、その支柱となる。しかし、社会的所有であっても土地使用権取引を促進させれば、実質的な土地の私有化につながるため、私的所有と社会的所有の対立構造だけを中心に、社会像を構想するには限界がある。

社会的所有であっても、占有を中心にシステムを組み立てていけば数多くの弊害が生じる。共産主義体制下の山岳景勝地では、指導者の名前や事蹟がいたるところに彫られ、自然の岩肌を圧迫している。生産手段が社会的所有のもとにあったとしても、自然や文化の占有が進んでしまう矛盾が生じる。

一人あたりの使用価値、交換価値、効用だけに着目すれば、一つの土地、モノ、知的財産、一定額の通貨を分ければ、一人当たりの価値と効用は減少する。しかし、共有原理では、分けた人、分けられた人の幸福価値、環境価値を含め、大切な意義群の総体が増し、その事実が、使用価値、交換価値、効用の低減分を上回ると解釈できるなら、原理を満たしたと考える。この思考では、使用価値、交換価値、効用と大切な意義群とを定量的に比較考慮するための、あらかじめ決められた基準や演算式はない。しかし、健康や学習、雇用機会の増進、環境リスクの減少などは、ある程度まで貨幣的価値に置き換えて示すことは可能だ。

合わせる場合も同様である。二つ以上の土地、モノ、知的財産、通貨を合わせても、純粋な加算的発想では、一人あたりの使用価値、交換価値、効用は増えない。むしろ、一人で使用、交換する権利が制限され、それらの価値は低減してしまう。しかし、合わせた二人において大切な意義群が増し、その事実が、低減分を上回る意味を重視するのが、共有原理である。

このような共有原理は、生きものとの深い親和性を有している。細胞は分裂して増え、苗木は株分けされて殖える。また、個と個が関係し、新たな生命が誕生する。分裂、結合を通して増えるとともに、個体としての生そのもののユニークさと多様性が、まさに生命現象の特徴である。韓国の文化学者、李御寧（イオリョン）は、生命そのものを尊ぶ新しい資本観への転換をめざす生命資

本主義を提唱してきた（이어령〈李御寧〉『생명이 자본이다』〈生命が資本だ〉二〇一四年）。そのような資本は、包括的で排他的な所有権に基づく資本ではなく、共有原理を基盤とする新たな何かであろう。

共有権

日本国憲法では、憲法が保障する基本的人権として、人が人格をもつ個人として自律的に生きる権利である「人格的自律権」が認められているとする解釈論がある（佐藤幸治『日本国憲法論〔第二版〕』二〇二〇年、一三九、一九七、一九九、二一二頁）。そこでは、「基幹的な人格的自律権」（一九七頁）としての幸福追求権から流出派生する権利として、経済活動の自由と財産権も位置づけられている。これらは同憲法上重要な基本的人権の一つである。

他方、人は一人で生きることはできず、人のみで生きることもできない。自然、生きもの等の存在とともに生きており、その前提に立った上での自律権といえよう。そこで、世界の人権思想、及び、同憲法の幸福追求権のなかに、次に述べる新たな権利を合わせ含めることにより、公共の福祉による制限とは異なる、権利概念の深化が可能になるのではないか。

共有原理に基づく、新たなタイプの権利を、共有可能性領域を見出し、これに関わる権利という意味で、共有権と名づけよう。生なるコモンズにともなう権利であるから、「生なるコモンズ」の権利とも表現しておこう。これは所有権が前提の、現行民法の「共有権」ではない。共有権は、限定的で開放的な権利である。他者の所有権を一定の範囲で認めながら、その行き過ぎを制限しうる、すべての主体に与えられた権利として考えることができる。

環境との関係で人格に関わる権利をとらえる環境権や広義の生存権なども、このような共有権の一つとして再構成することで、公害問題にとどまらず、地球環境問題や新テクノロジーが招く文明的な危機に広く対応しうる、先進的アプローチが開けてくるのではないだろうか。

ピケティも論じているように、人は、これまで所有権を中心に、近代、現代の社会を構築してきた。しかし、これからは、共有権を合わせて、新たな世界をつくっていく。そのように構想、構成してみよう。

共有権は、所有権の逆を発想し、概念化したものだ。所有権が包括的で排他的な権利なら、共有権は限定的で開放的な権利である。包括的という特徴は限定的という特徴へ、排他的という特徴は開放的という特徴へと転換されている。

生なるコモンズの領域を守るために、その限定性、開放性そのものを守る権利の発想が求められてくる。たんに所有権の行き過ぎを補正する概念ではなく、人には、共有権を有する資格が、生まれながらにしてそなわっている、と考えるのだ。

ピケティの提言は、所有権に制限をかけ、ポズナーとワイルのアイデアは排他性そのものを排除している。しかし、近代的所有権の矛盾克服のための根本的なビジョンは、さらに切実に必要となってくるだろう。

　所有権の制限理由を、社会正義や公共の福祉とした場合、それらは対立的な要素としてとらえられている。しかし、制限理由を、わたしたち一人ひとりの共有権とした場合、そのような権利は根源的には対立的ではなく、所有権者にとっても内在的なものとなりうる。所有権者は、自らの所有権の濫用によって、自らも潜在的に有している、あるいは関わる可能性がある共有権を侵害していることになるからだ。

　わたしたちは、自らが所有するものを誰からも侵害されない前提で、自由を維持している。しかしまた、何か大切なものを、自ら以外の五つの存在と、分け、合わせ、共にたもつことによって、自らと他なる存在が共有可能で持続可能な関係性を有し、発展できているとき、その生なるコモンズを侵害されない権利を有するはずだ。

　生なるコモンズは、所有権と社会正義や公共の福祉のみによっては十分に守られず、共有権という新たな権利思想によってこそ、はっきりと見出され、守られるものではないか。

では、共有権とは、どのような権利なのか。

所有権なら、それが設定されていれば、権利の対象に対して、法に反しない範囲で、使用、売買など様々なことが可能で、他者の介入を排除できる。共有権は、その逆で、権利の対象に対して、限定的なことしかできず、他なる存在が主体として関わる可能性も開かれている。

この限定性、開放性をどのように考えていくかが、共有権の課題である。

文化の基層をなす生なるコモンズについて、このような共有原理と共有権に基づき、わたしたち、自然、生きもの、人、つくられたもの、人知を超えるものが共存できるように分け、または、合わせる方法により、大切な意義群の総体を増していく。これが、共有文明、すなわち、共にたもつ文明としての、新たな文明のかたちだろう。

共有権は、共有原理によって生なるコモンズを見出し、育み、守る。共有可能性の想像力からは新たな文化、文明が展開していく。それは、万人に開かれた、潜在する何かなのだ。

外のそとへ

人文学のかたちが大きく変化してきている。

人文学が衰退すれば、ＡＩ・ロボット・生命の工学による、新テクノロジーの操作的立場への省察も、弱体化してしまうだろう。現代哲学の潮流、社会思想、環境倫理、多くのアートも人文学復権につながる重要な試みだが、それらの多くが他の領域から分断されたまま、交流、対話が成立しなければ、操作的状況は無批判に加速するばかりだろう。

文化研究（カルチュラル・スタディーズ）（cultural studies）でも、社会主義の唯物論的な文化科学（カルチュロロジー）（culturology）でもなく、文化哲学（philosophy of culture）に近いが、今まさにゆれ動いている人そのものが、自らの文化、文明について内在的に考えていく知的な営みを表現する、より相応しい学のかたちが必要だ。

文化人類学（cultural anthropology）にとどまらず、広範な影響力をもつ文化としての文明をも視野に入れた人の文化学（このような英語はないがanthropo-culturo-logy）が求められる。人が文化していることの営み、それ自体に関心をもつ、新たな人文学のイメージ、アウトラインを描く必要がある。

人を含む存在観念がゆらぐなか、わたしたちが様々な存在と関わる上で生じる関係性としての共有領域に光を当てることで、人文学を新たな位相で展開することができるのではないか。その人文学的アプローチは、個々のコモンズだけでなく、それらを生なるコモンズという、一般的で、生動的な概念でとらえ、共有可能性に着目したものになるだろう。視点の転換とコモンズ概念の拡張によって、わたしたち人の存在にとって不可欠な、共有可能性の動的な様相をとらえることができ、これまでのコモンズ研究を参照しながら、未来に向けた考察も可能になる。また、文化と文明を分断せず、広範な影響力のある文化を文明として連続的にとらえ、あらゆる人（ホモ・サピエンス）の活動を、フラットに考察するスタンスを導く。

一見、持続可能性が満たされるように見えても、共有可能性がともなっていなければ、それはディストピアに行き着いてしまう。わたしたち人が共有可能性の想像力を手放したとき、人であることも手放したことになるのかもしれない。

根源的な共有可能性の想像力は、おそらく人類史早期の段階から作動しているのだろう。人の思考と文化は、共有領域の可能性を求め、その限界に直面しつつも、イメージし続けてきている、という見通しに本書は立っている。このビジョンないし仮説的視座は、非言語的段階のイメージを分析したスザンヌ・K・ランガー『シンボルの哲学』（一九四二年）等が切り拓いた記号論を含め、精緻な哲学的検討や脳科学、認知科学等とのすり合わせが必須であり、今後の大きな課題である。

ただ、生なるコモンズのイメージ、観念の位相が、対象を観察、実験、シミュレーションする科学的アプローチのみによってはとらえきれないという問題は残り続けるはずだ。そのため、最先端科学を参照しながらも、広義の哲学、宗教までを総合的に視野に入れ、人文学を刷新していく道もまた、求められ続けるだろう。

ゴザを丸め、立ち上がったとき、それまであった、空や大地、雲、生きもの、友だちとの可能性に満ちた共有領域は姿を消している。このとき、あらためて、自分でも他なる存在でもない、外のそとを、かすかに感知するかもしれない。

それはまた、新たな共有領域の生成、展開をうながす場であり続ける。わたしの領域でも、他なる存在の領域でもない、わたしと他の両方の存在にとっての、外のそと。それがなければ、わたしも他なる存在も、自らを見出し、お互いの生なるコモンズ、内のうちを見出すことはできない。

この意味で、内のうちは、外のそとと深い関係にある。内のうちと外のそととの間に、自らの存在と他なる存在がある、と気づく。

生なるコモンズを見出すことは、この意味で、どこまでも広い、囲い込むことができない世界を支持することでもある。

立ち上がり、空をながめるとき、内のうちから外のそとへ向かい、そして、外のそとは新たなる内のうちへと、やさしいまなざしを向け続けている。

参考文献（丸括弧内は原著出版年）

＊各章ごとに日本語文献、外国語文献、参考Ｗｅｂページに分けて記載している。
＊日本語文献は刊行年（同一刊行年内は著者名五十音）順、外国語文献は刊行年順、参考Ｗｅｂページは日本語のものから本文文脈に沿った順で記載している。

Ⅰ　共有可能性と人

第一章　新テクノロジーによる人間観の分断

後藤末雄『中国思想のフランス西漸』１・２、東洋文庫、一九六九年
＊初刊一九三三年

チャールズ・ダーウィン『種の起源』上・下、渡辺政隆訳、光文社、二〇〇九（一八五九）年

ジャン＝リュック・シャベール（渡辺治訳）「第Ⅱ部　現代数学の起源４　アルゴリズム」『プリンストン数学大全』ティモシー・ガワーズ、ジューン・バロウ＝グリーン、イムレ・リーダー編、砂田利一・石井仁司・平田典子・森真監訳、朝倉書店、二〇一五（二〇〇八）年

マニュエル・リマ『THE BOOK OF TREES――系統樹大全：知の世界を可視化するインフォグラフィックス』三中信宏訳、ビー・エヌ・エヌ新社、二〇一五（二〇一五）年

アレックス・メスーディ『文化進化論――ダーウィン進化論は文化を説明できるか』野中香方子訳、ＮＴＴ出版、二〇一六（二〇一一）年

島薗進『いのちを〝つくって〟もいいですか？――生命科学のジレンマを考える哲学講義』ＮＨＫ出版、二〇一六年

英『エコノミスト』編集部『２０５０年の技術――英『エコノミスト』誌は予測する』土方奈美訳、文藝春秋、二〇一七（二〇一五）年

人工知能学会編『人工知能学大事典』共立出版、二〇一七年

ニック・ボストロム『スーパーインテリジェンス――超絶ＡＩと人類の命運』倉骨彰訳、日本経済新聞社、二〇一七（二〇一四）年

須田桃子『合成生物学の衝撃』文藝春秋、二〇一八年

トーマス・フリードマン『遅刻してくれてありがとう――常識が通じない時代の生き方』上・下、伏見威蕃訳、日本経済新聞社、二〇一八（二〇一六）年

ユヴァル・ノア・ハラリ『ホモ・デウス――テクノロジーとサピエンスの未来』上・下、柴田裕之訳、河出書房新社、二〇一八（二〇一六）年

黒木登志夫『新型コロナの科学――パンデミック、そして共生の未来へ』中公新書、二〇二〇年

加藤泰史・小倉紀蔵・小島毅編『東アジアの尊厳概念』法政大学出

版局、二〇二一年
五條堀孝『「新型コロナワクチン」とウイルス変異株』春秋社、二〇二一年
濱田陽「第三章　人影の人工知能」「第五章　見えざる矛盾、新型ウイルス」『生なる死――よみがえる生命と文化の時空』ぷねうま舎、二〇二一年
Darwin, Charles. *On the Origin of Species by Means of Natural Selection, or the Preservation of Favoured Races in the Struggle for Life*. John Murray, 1859
https://commons.wikimedia.org/wiki/File:Origin_of_Species_1859_facsimile.pdf
Mesoudi, Alex. *Cultural Evolution: How Darwinian Theory Can Explain Human Culture and Synthesize the Social Sciences*. University of Chicago Press, 2011
Bostrom, Nick. *Superintelligence: Paths, Dangers, Strategies*. Oxford University Press, 2014
Harari, Yuval Noah. *Homo Deus: A Brief History of Tomorrow*. London: Harvill Secker, 2016
Harari, Yuval Noah. *21 Lessons for the 21st Century*. Spiegel & Grau, 2018

第二章　人の存在を問う――ハラリに応え、西田幾多郎と出会う

西田幾多郎「自覚について」『哲學論文集第五』岩波書店、一九四四年
西田幾多郎『西田幾多郎哲学論集』Ⅱ・Ⅲ、上田閑照編、岩波文庫、一九八八・一九八九年
ジェイムズ・バラット『人工知能――人類最悪にして最後の発明』水谷淳訳、ダイヤモンド社、二〇一五（二〇一三）年
松尾豊『人工知能は人間を超えるか――ディープラーニングの先にあるもの』角川ＥＰＵＢ選書、二〇一五年
マーティン・J・ブレイザー『失われてゆく、我々の内なる細菌』山本太郎訳、みすず書房、二〇一五（二〇一四）年
ユヴァル・ノア・ハラリ『サピエンス全史――文明の構造と人類の幸福』上・下、柴田裕之訳、河出書房新社、二〇一六（二〇一四）年
ジャン＝ガブリエル・ガナシア『そろそろ、人工知能の真実を話そう』小林重裕他訳、早川書房、二〇一七（二〇一七）年
濱田陽「第一部　生きとし生けるものの時空」「第三部　よみがえる時空と文化学」『日本十二支考――文化の時空を生きる』中央公論新社、二〇一七年
山本一成『人工知能はどのようにして「名人」を超えたのか？』ダイヤモンド社、二〇一七年
国立科学博物館編『［特別展］人体――神秘への挑戦』国立科学博物館、二〇一八年
西郷甲矢人「自然知能と圏論」『人工知能』三三巻五号、人工知能学会、二〇一八年九月
須田桃子『合成生物学の衝撃』文藝春秋、二〇一八年
ダニエル・C・デネット『心の進化を解明する――バクテリアからバッハへ』木島泰三訳、青土社、二〇一八（二〇一七）年
西垣通『ＡＩ原論――神の支配と人間の自由』講談社選書メチエ、二〇一八年
山内一也『ウイルスの意味論』みすず書房、二〇一八年

ユヴァル・ノア・ハラリ『ホモ・デウス――テクノロジーとサピエンスの未来』上・下、柴田裕之訳、河出書房新社、二〇一八（二〇一六）年

C・コッホ「機械は意識を持ちうるか」『日経サイエンス』二〇二〇年三月号、日経サイエンス社

Harari, Yuval Noah. Sapiens: *A Brief History of Humankind*. Vintage. 2014

Harari, Yuval Noah. *Homo Deus: A Brief History of Tomorrow*. London: Harvill Secker. 2016

第三章　動く関係性と共有可能性

アレクサンドル・グロタンディーク『数学者の孤独な冒険――数学と自己発見への旅』〈新装版〉辻雄一訳、現代数学社、二〇一五（一九八六）年

西郷甲矢人・能美十三『圏論の道案内――矢印でえがく数学の世界』技術評論社、二〇一九年

スザンヌ・K・ランガー『シンボルの哲学――理性、祭礼、芸術のシンボル試論』塚本明子訳、岩波文庫、二〇二〇（一九四二）年

濱田陽「第一章　存在と時空」「第二章　生命と文化の時空」『生なる死――よみがえる生命と文化の時空』ぷねうま舎、二〇二一年

Grothendieck, Alexandre. *RECOLTES ET SEMAILLES: Réflexions et témoignage sur un passé de mathématicien*. 1986

https://www.quarante-deux.org/archives/klein/prefaces/Romans_1965-1969/Recoltes_et_semailles.pdf

第四章　空海の祈求

司馬遼太郎『空海の風景』中央公論社、一九七五年

金岡秀友編『空海辞典』東京堂出版、一九七九年

梅原猛『空海の思想について』講談社学術文庫、一九八〇年

上山春平『空海』朝日新聞社、一九八一年

弘法大師空海全集編輯委員会編『弘法大師　空海全集』第六巻、筑摩書房、一九八四年

古田紹欽他監修『仏教大事典』小学館、一九八八年

静慈圓編『性霊集一字索引』東方出版、一九九一年

今泉淑夫編『日本仏教史辞典』吉川弘文館、一九九九年

子安宣邦監修『日本思想史辞典』ぺりかん社、二〇〇一年

空海『三教指帰』福永光司訳、中公クラシックス、中央公論新社、二〇〇三年

静慈圓『空海入唐の旅――現代中国に甦る巡礼道を行く』朱鷺書房、二〇〇三年

週刊朝日百科『仏教を歩く――空海』朝日新聞社、二〇〇三年

永坂嘉光・静慈圓『空海の道』新潮社、二〇〇四年

日本宗教史年表編纂委員会編『日本宗教史年表』河出書房新社、二〇〇四年

松岡正剛『［新版］空海の夢』春秋社、二〇〇五年

山折哲雄『空海の企て――密教儀礼と国のかたち』角川選書、二〇〇八年

静慈圓『空海の行動と思想――上表文と願文の解読から』法藏館、二〇〇九年

高野山大学密教文化研究所編『電子版　弘法大師全集』小林写真工業株式会社、二〇一一年

濱田陽「カリスマ・聖人列伝　日本宗教――聖徳太子・空海・親鸞・道元・日蓮」『宗教の事典』山折哲雄監修、川村邦光・市川裕・大塚

和夫・奥山直司・山中弘編、朝倉書店、二〇一二年
竹内信夫『空海の思想』ちくま新書、二〇一四年
高村薫『空海』新潮社、二〇一五年
西宮紘『〔釈伝〕空海』下、藤原書店、二〇一八年
〈参考Webページ〉
野口圭也「インド密教とマンダラ」真言宗豊山派金剛院公式サイト
https://www.kongohin.or.jp/mandara.html

第五章　儒の学、最善を生かす知の実践

朱熹『晦庵先生朱文公文集』巻七四之五、胡岳校訂、林羅山旧蔵、明刊／国立公文書館デジタル・アーカイブ、刊行年不明
マルティン・ルター「キリスト者の自由」『〔新訳〕キリスト者の自由・聖書への序言』石原謙訳、岩波文庫、一九五五（一五二〇）年
阿部吉雄『日本朱子学と朝鮮』東京大学出版会、一九六五年
阿部吉雄「日本朱子学の発達と朝鮮・明との比較」『近代日本の思想と芸術I』芳賀徹・平川祐弘・亀井俊介・小堀桂一郎編、東京大学出版会、一九七三年
聖アウグスチヌス『告白』上・下、服部英次郎訳、岩波文庫、一九七六年　＊原著三九七—四〇〇年頃執筆
山田慶児『朱子の自然学』岩波書店、一九七八年
鄭聖哲『朝鮮実学思想の系譜』崔允珍他訳、雄山閣出版、一九八二年
姜沆『看羊録——朝鮮儒者の日本抑留記』朴鐘鳴訳注、東洋文庫、一九八四年
岡田武彦『山崎闇斎』明徳出版社、一九八五年
アレクシス・ド・トクヴィル『アメリカの民主政治』上・中・下、講談社学術文庫、井伊玄太郎訳、一九八七（一八三五、一八四〇）年
Wm・T・ドバリー『朱子学と自由の伝統』山口久和訳、平凡社選書、一九八七年
加地伸行『儒教とは何か』中公新書、一九九〇年
柄谷行人「江戸の註釈学と現在」「『理』の批判——日本思想におけるプレモダンとポストモダン」『言葉と悲劇』講談社、一九九三年
猪城博之「李退渓の哲学」『第一経大論集』第二三号、第一経済大学経済研究会、一九九四年
竹内弘行「孫文の儒教思想」『中国の儒教的近代化論』研文出版、一九九五年
姜在彦『朝鮮儒教の二千年』朝日選書、二〇〇一年
柴田篤「『白鹿洞書院掲示』と李退渓」『哲學年報』第六一号、九州大学大学院人文科学研究院、二〇〇二年
邊英浩「李退渓の四端七情論——奇大升との論争を中心として」『大阪経済法科大学アジア太平洋センター年報』（1）、大阪経済法科大学アジア太平洋センター、二〇〇三年
イバン・イリイチ『生きる希望——イバン・イリイチの遺言』デイヴィッド・ケイリー編、臼井隆一郎訳、藤原書店、二〇〇六（一九九二）年
福田殖「九州退渓学研究会発足当時の回顧」『退渓学論叢』第一三号、退渓学釜山研究院、二〇〇七年
澤井啓一「退渓　李滉と山崎闇斎——闇斎はなぜ『心経』を放棄したのか」『退渓学論集』第二号、韓国・嶺南退渓学研究院、二〇〇八年
嶋村初吉「朝鮮通信使と李退渓」『退渓学論叢』第一五号、退渓学釜山研究院、二〇〇八年
三浦國男『「朱子語類」抄』講談社、二〇〇八年

井川善次『宋学の西遷――近代啓蒙への道』人文書院、二〇〇九年
木下鉄矢『朱子――〈はたらき〉と〈つとめ〉の哲学』岩波書店、二〇〇九年
沈慶昊「一七世紀以降の日本漢学と朝鮮韓国漢学の歴史的接点について」『日本古代学』第一号、明治大学日本古代学教育・研究センター、二〇〇九年
井上厚史「近代日本における李退渓研究の系譜学――阿部吉雄・高橋進の学説の検討を中心に」『総合政策論叢』第一八号、島根県立大学総合政策学会、二〇一〇年
柴田篤「『聖学十図』と江戸儒学――「白鹿洞書院掲示」と「聖学図」を中心として」『退渓学論叢』第一六号、退渓学釜山研究院、二〇一〇年
邊英浩『朝鮮儒教の特質と現代韓国――李退渓・李栗谷から朴正熙まで』クレイン、二〇一〇年
三浦國雄『朱子伝』平凡社、二〇一〇年
溝口雄三『〈中国思想〉再発見』放送大学叢書、二〇一〇年
李基原『徂徠学と朝鮮儒学――春台から丁若鏞まで』ぺりかん社、二〇一一年
李豪潤「一六世紀朝鮮知識人の「中国」認識――許篈の『朝天記』を中心に」『コリア研究』立命館大学コリア研究センター、二〇一一年
小倉紀蔵『朱子学化する日本近代』藤原書店、二〇一一年
小倉紀蔵『創造する東アジア――文明・文化・ニヒリズム 2・1・0』春秋社、二〇一一年
下川玲子『朱子学的普遍と東アジア――日本・朝鮮・現代』ぺりかん社、二〇一一年
全学哲「李退渓の敬思想と教育観」『退渓学論叢』第一八号、退渓学釜山研究院、二〇一一年
高橋亨『高橋亨――朝鮮儒学論集』川原秀城・金光来編訳、知泉書館、二〇一一年
ダニエル・カーネマン『心理と経済を語る』山内あゆ子訳、楽工社、二〇一一年
土田健次郎『儒教入門』東京大学出版会、二〇一一年
朴倍暎「伊藤仁斎と李退渓――儒教的考え方における公共哲学との関連性を中心に」『[公共する人間1] 伊藤仁斎――天下公共の道を講究した文人学者』片岡龍・金泰昌編、東京大学出版会、二〇一一年
箱崎和久『近世の学校建築』(『日本の美術』第五三八号)ぎょうせい、二〇一一年
小倉紀蔵『入門――朱子学と陽明学』ちくま新書、二〇一二年
古賀崇雅「退渓学と『心経附註』をめぐって」『退渓学論叢』第二〇号、退渓学釜山研究院、二〇一二年
内藤湖南『先哲の学問』筑摩書房、二〇一二(一九八七)年
濱田陽「李退渓の現代的意義――自由・協同との共振、グローバル資本主義の渦中において」『第24次退溪學國際學術會議　退渓　四端七情論의現代的意義』國際退渓学会、二〇一二年
邊英浩「共通(公共)善と朝鮮儒者――李退渓・李栗谷を中心として」『共通善教育研究　国際シンポジウム』岡山大学、二〇一二年
望月高明「退渓学を形成するもの――『心経附註』の史的地位」『都城工業高等専門学校研究報告』都城工業高等専門学校、二〇一二年
牛尾弘孝「朱子の敬説と李退渓」『退渓学論叢』第二〇号、退渓学釜山研究院、二〇一三年

水野和夫・大澤真幸『資本主義という謎――「成長なき時代」をどう生きるか』NHK出版新書、二〇一三年
小倉紀蔵『新しい論語』ちくま新書、二〇一三年
黄俊傑『東アジア思想交流史――中国・日本・台湾を中心として』藤井倫明・水口幹記訳、岩波書店、二〇一三年
張源哲「退渓と日本儒学――退渓学と山崎闇斎の影響関係についての一考察」『懐徳堂研究』懐徳堂研究センター、大阪大学文学部、二〇一三年
吾妻重二「東アジアの儒教と文化交渉」『現代思想［特集］いまなぜ儒教か』青土社、二〇一四年
石井剛「「同ぜず」のために――たたかう孔子と「文」の共同態」同
伊東貴之「伝統中国をどう捉えるか？――研究史上のポレミックに見る儒教の影」同
井上厚史「封印された朝鮮儒教」同
柄谷行人・丸川哲史「帝国・儒教・東アジア」同
澤井啓一「土着化する儒教と日本」同
澤井啓一『山崎闇斎――天人唯一の妙、神明不思議の道』ミネルヴァ書房、二〇一四年
S・ジジェク、A・ルッソ、海裔、汪暉「現代政治における礼と法――共産主義と儒法闘争」『現代思想［特集］いまなぜ儒教か』青土社、二〇一四年
譚仁岸「儒学の「創造的転化」――八〇年代中国の近代化問題と関連して」同
土田健次郎『江戸の朱子学』筑摩書房、二〇一四年
土田健次郎「日常の思想としての儒教」『現代思想［特集］いまなぜ儒教か』青土社、二〇一四年
張志強「伝統と現代中国――最近一〇年来の中国国内における伝統復興現象の社会文化的文脈に関する分析」小野泰教訳、同
中島隆博「儒教、近代、市民的スピリチュアリティ」同
羽根次郎「日本における現代中国国学理解の可能性のために」同
濱田陽「挑戦的平和の「儒学」――李退渓と朋なる普遍性」『第25次退渓學國際學術會議　學與和平』國際退渓学会、二〇一四年
＊国際学会発表用に準備した本論文を加筆修正し本書第五章の初出になる同名論文を執筆。初出一覧参照
本間次彦「もう一つの近代と溝口中国学の改革開放」『現代思想［特集］いまなぜ儒教か』青土社、二〇一四年
望月高明「退渓学を形成するもの（I）――『朱子書節要』の史的地位」『都城工業高等専門学校研究報告』都城工業高等専門学校、二〇一四年
李退渓『自省録』難波征男校注、東洋文庫、二〇一五（一五五六）年
太田青丘『藤原惺窩』（人物叢書・新装版）日本歴史学会編、吉川弘文館、二〇二〇年　＊初刊一九八五年
苏鹰・高威・周飞帆「日本藩校对中国书院的受容与变容――以《白鹿洞书院揭示》为线索」（藩校における中国書院の受容と変容――「白鹿洞書院掲示」を手がかりに）『千葉大学国際教養学研究』第四号、千葉大学国際教養学部、二〇二〇年

第六章　賀川豊彦と協同組合（コオペラティブ）

賀川豊彦『涙の二等分』福永書店、一九一九年（賀川豊彦『賀川豊彦全集』二〇巻、キリスト新聞社、一九六三年に所収）

賀川豊彦『死線を越えて』改造社、一九二一年

賀川豊彦『賀川豊彦全集』六巻、キリスト新聞社、一九六四年

＊教育論「魂の彫刻」所収

賀川豊彦『賀川豊彦全集』一一巻、キリスト新聞社、一九六三年

＊八本の協同組合論（一九二一、一九二七、一九三六、一九四〇、一九四七年）所収

賀川豊彦『賀川豊彦全集』一七巻、キリスト新聞社、一九六三年

＊「月報八」に賀川豊彦臨終時の証言収録

中川雄一郎『キリスト教社会主義と協同組合――E・V・ニールの協同住居福祉論』日本経済評論社、二〇〇二年

ノリーナ・ハーツ『巨大企業が民主主義を滅ぼす』早川書房、二〇〇三（二〇〇一）年

ジーノ・ジロロモーニ『イタリア有機農業の魂は叫ぶ――有機農業協同組合アルチェ・ネロからのメッセージ』目地能理子訳、家の光協会、二〇〇五年

ハーマン・E・デイリー『持続可能な発展の経済学』新田功・藏本忍・大森正之訳、みすず書房、二〇〇五（一九九六）年

加山久夫「与謝野晶子の賀川豊彦素描」『雲の柱』第二〇号、賀川豊彦記念松沢資料館、二〇〇六年

栗本昭編著『21世紀の新協同組合原則〈新訳版〉日本と世界の生協――この10年の実践』コープ出版、二〇〇六年

ロバート・B・ライシュ『暴走する資本主義』雨宮寛・今井章子訳、東洋経済新報社、二〇〇八年

賀川豊彦『〔復刻版〕死線を越えて』ＰＨＰ、二〇〇九年

賀川豊彦『友愛の政治経済学』加山久夫・石部公男訳、日本生活協同組合連合会、二〇〇九年

濱田陽「豊かなる川のほとりに――賀川豊彦の未来」『生活協同組合研究』№３９７、生協総合研究所、二〇〇九年

濱田陽・李琇淑「賀川豊彦の協同組合思想と日韓現代社会――Brotherhood Economics の可能性」『雲の柱』二三号、賀川豊彦記念松沢資料館、二〇〇九年

斎藤由理子・重頭ユカリ『欧州の協同組合銀行』日本経済評論社、二〇一〇年

蔦谷栄一『協同組合の時代と農協の役割』家の光協会、二〇一〇年

濱田陽「海の自然と賀川豊彦」『Think Kagawa――ともに生きる』賀川豊彦献身１００年記念事業実行委員会編、家の光協会、二〇一〇年

日野秀逸『マルクス・エンゲルス・レーニンと協同組合――資本主義・社会主義・協同組合』本の泉社、二〇一〇年

梁連文・朴紅『台湾の農村協同組合』筑波書房、二〇一〇年

小林正弥（解説）「愛の実践者・賀川豊彦の思想的意義――コミュニタリアニズム的観点から」『賀川豊彦』隅谷三喜男著、岩波現代文庫、二〇一一年

日本協同組合連絡協議会（ＪＪＣ）・２０１２国際協同組合年全国実行委員会「国際協同組合デー――若者：協同組合の未来」第八九回、記念資料、二〇一一年

濱田陽「賀川豊彦と海洋文明――死線と大震災を越えて」『宗教と社会貢献』第一巻第一号「宗教と社会貢献」研究会、大阪大学学術情報庫ＯＵＫＡ、二〇一一年四月

堀越芳明『協同組合の社会経済制度――世界の憲法と独禁法にみる』日本経済評論社、二〇一一年

ロバート・B・ライシュ『余震　アフターショック――そして中間層

がいなくなる」雨宮寛・今井章子訳、東洋経済新報社、二〇一一年
濱田陽「賀川豊彦の孤独と協同組合」『アジアの宗教とソーシャル・キャピタル』櫻井義秀・濱田陽編、明石書店、二〇一二年
濱田陽「ロマン・ロランと賀川豊彦——戦いを超えて・死線を越えて」『ユニテ』第四〇号、ロマン・ロラン研究所、二〇一三年四月
ネイサン・シュナイダー『ネクスト・シェア——ポスト資本主義を生み出す「協同」プラットフォーム』月谷真紀訳、東洋経済新報社、二〇二〇（二〇一八）年
日本生活協同組合連合会『生協の社会的取り組み報告書２０２１』二〇二一年
https://jccu.coop/info/up_item/announcement_210707_01_01.pdf
Euricse & International Cooperative Alliance. *World Cooperative Monitor 2021: Exploring the cooperative economy.* 2021
https://monitor.coop/sites/default/files/2022-01/WCM_2021_0.pdf

〈参考Webページ〉
賀川豊彦記念松沢資料館　https://www.t-kagawa.or.jp

Ⅱ　生なるコモンズと共有文化、共有文明

第七章　現代文明と共有可能性の危機

ジャニン・ベニュス『自然と生体に学ぶバイオミミクリー』山本良一・吉野美耶子訳、オーム社、二〇〇六（一九九七）年
ヴァンダナ・シヴァ『アース・デモクラシー——地球と生命の多様性に根ざした民主主義』山本規雄訳、明石書店、二〇〇七（二〇〇五）年
ジェイムズ・バラット『人工知能——人類最悪にして最後の発明』水谷淳訳、ダイヤモンド社、二〇一五（二〇一三）年
松尾豊『人工知能は人間を超えるか——ディープラーニングの先にあるもの』角川ＥＰＵＢ選書、二〇一五年
小林雅一『ＡＩが人間を殺す日——車、医療、兵器に組み込まれる人工知能』集英社新書、二〇一七年
ハンス・ロスリング、オーラ・ロスリング、アンナ・ロスリング・ロンランド『FACTFULNESS（ファクトフルネス）——10の思い込みを乗り越え、データを基に世界を正しく見る習慣』上杉周作・関美和訳、日経ＢＰ社、二〇一九（二〇一八）年
日本聖書協会『聖書　口語訳』日本聖書協会訳、日本聖書協会、二〇〇九年　＊初刊、新約一九五四年、旧約一九五五年
濱田陽「第一章　存在と時空」「第二章　生命と文化の時空」『生なる死——よみがえる生命と文化の時空』ぷねうま舎、二〇二一年
Benyus, Janine M. *Biomimicry: Innovation Inspired by Nature.* HarperCollins. 2009　＊first published in 1997
Shiva, Vandana. *Earth Democracy: Justice, Sustainability, and Peace.* North Atlantic Books. 2015　＊first published in 2005

〈参考Webページ〉
雨宮優「KaMiNG SINGULARITY とは何だったのか。」
https://note.com/in_the/n/nbcce861dced1
Durendal, George Davila. *AI_Jesus*
https://github.com/GeorgeDavila/AI_Jesus
Strebe, Diemut. *The Prayer*
https://theprayer.diemutstrebe.com

第八章 持続可能性と共有可能性から、生なるコモンズへ

伊東俊太郎『文明における科学』勁草書房、一九七六年

ローレンス・レッシグ『コモンズ——ネット上の所有権強化は技術革新を殺す』山形浩生訳、翔泳社、二〇〇二（二〇〇一）年

ポール・ホーケン『祝福を受けた不安——サステナビリティ革命の可能性』阪本啓一訳、バジリコ、二〇〇九（二〇〇七）年

現代技術史研究会編『徹底検証　二一世紀の全技術』藤原書店、二〇一〇年

日本法社会学会編『コモンズと法』（『法社会学』第七三号）、有斐閣、二〇一〇年

伊東俊太郎『〈新装版〉比較文明』東京大学出版会、二〇一三年

濱田陽「源流としての『文明における科学』」『比較文明』第三〇号、比較文明学会、二〇一四年一〇月

濱田陽「第一章　存在と時空」『生なる死——よみがえる生命と文化の時空』ぷねうま舎、二〇二一年

Olson, Mancur. *The Logic of Collective Action: Public Goods and the Theory of Groups*. Harvard University Press, 1965

Hardin, Garrett. "The Tragedy of the Commons". *Science*. New Series, Vol. 162, No. 3859, Dec. 13, 1968

World Commission on Environment and Development. *Report of the World Commission on Environment and Development: Our Common Future*. 1987

https://sustainabledevelopment.un.org/content/documents/5987our-common-future.pdf

Ostrom, Elinor. *Governing the Commons: The Evolutions of Institutions for Collective Action*. Cambridge University Press, 1990

Ostrom, Elinor. & Keohane, Robert O. *Local Commons and Global Interdependence: Heterogeneity and Cooperation in Two Domains*. Sage, 1995

Ostrom, Elinor. *Understanding Institutional Diversity*. Princeton University Press, 2005

第九章 共有文化の創出と発見

坪内逍遥「文化力としての童話及び童話術」『芸術ト家庭ト社会』実業之日本社、一九二三年

ジョゼフ・S・ナイ『不滅の大国アメリカ』久保伸太郎訳、読売新聞社、一九九〇（一九九〇）年

ジョゼフ・S・ナイ『ソフト・パワー——21世紀国際政治を制する見えざる力』山岡洋一訳、日本経済新聞出版、二〇〇四（二〇〇四）年

川勝平太『文化力——日本の底力』ウェッジ、二〇〇六年

日本聖書協会『聖書　口語訳』日本聖書協会訳、日本聖書協会、二〇〇九年　＊初刊、新約一九五四年、旧約一九五五年

ジョゼフ・S・ナイ『スマート・パワー——21世紀を支配する新しい力』山岡洋一・藤島京子訳、日本経済新聞出版、二〇一一（二〇一一）年

池田和久『『老子』その思想を読み尽くす』講談社学術文庫、二〇一七年

濱田陽『日本十二支考——文化の時空を生きる』中央公論新社、二〇一七年

McGray, Douglas. "Japan's Gross National Cool", *Foreign Policy*. No. 130, 2002

Nye, Joseph S. Jr. *Soft Power: The Means to Success in World Politics*.

PublicAffairs, 2004

第十章　共有宗教文化

篠原正瑛『敗戦の彼岸にあるもの』弘文堂、一九四九年
ロバート・D・パットナム『孤独なボウリング――米国コミュニティの崩壊と再生』柴内康文訳、柏書房、二〇〇六（二〇〇〇）年
濱田陽『共存の哲学――複数宗教からの思考形式』弘文堂、二〇〇五年
濱田陽「宗教間対話の未来への一提言」『現代世界と宗教の課題――宗教間対話と公共哲学』星川啓慈・山脇直司・山梨有希子・斉藤謙次・濱田陽・田丸徳善著、蒼天社出版、二〇〇五年
濱田陽「インターレリジアス・エクスピアリアンスの学」『宗教多元主義を学ぶ人のために』間瀬啓允編、世界思想社、二〇〇八年
濱田陽「宗教性の行動と相互信頼社会」『社会貢献する宗教』稲場圭信・櫻井義秀編、世界思想社、二〇〇九年
濱田陽「宗教多元論」『宗教学事典』星野英紀・池上良正・氣多雅子・島薗進・鶴岡賀雄編、丸善、二〇一〇年
濱田陽「環太平洋の平和的発展と共有宗教文化――オーストラリアの四つの事例」『宗教と社会貢献』第四巻第一号、「宗教と社会貢献」研究会、大阪大学学術情報庫ＯＵＫＡ、二〇一四年四月

第十一章　共有文明と共有軸

カール・ヤスパース『歴史の起源と目標』重田英世訳、理想社、一九六四（一九四九）年
川勝平太『文明の海洋史観』中央公論新社、一九九七年
ベルナルド・リエター『マネー――人はなぜお金に魅入られるのか』堤大介訳、ダイヤモンド社、二〇〇一（二〇〇〇）年
山折哲雄『日本文明とは何か――パクス・ヤポニカの可能性』角川叢書、二〇〇四年
濱田陽「内なる環境、未知との共存」『環境と文明――新しい世紀のための知的創造』山折哲雄編著、ＮＴＴ出版、二〇〇五年
ジェフリー・サックス『地球全体を幸福にする経済学――過密化する世界とグローバル・ゴール』野中邦子訳、早川書房、二〇〇九（二〇〇八）年
山折哲雄・川勝平太『楕円の日本――日本国家の構造』藤原書店、二〇一二年
Benyus, Janine M. *Biomimicry: Innovation Inspired by Nature.* HarperCollins, 2009　＊first published in 1997
Gabriel, Markus. "We need a metaphysical pandemic", March 26, 2020　https://www.uni-bonn.de/news/

〈参考Webページ〉

国際連合広報センター「ミレニアム開発目標（MDGs）の目標とターゲット」
https://www.unic.or.jp/activities/economic_social_development/sustainable_development/2030agenda/global_action/mdgs/
国際連合広報センター「持続可能な開発目標」
https://www.unic.or.jp/activities/economic_social_development/sustainable_development/sustainable_development_goals/
国連開発計画（UNDP）駐日代表事務所「持続可能な開発目標」
https://www.jp.undp.org/content/tokyo/ja/home/sustainable-development-goals.html
Harari, Yuval Noah. & Tang, Audrey. "To Be or Not To Be

Hacked? The Future of Democracy, Work, and Identity."
RadicalxChange, July 5, 2020
https://www.ynharari.com/to-be-or-not-to-be-hacked-the-future-of-democracy-work-and-identity/ *June 30, 2020 オンライン開催

第十二章 共有権——所有権世界を相対化する

キアーラ・フルゴーニ『アッシジのフランチェスコ——ひとりの人間の生涯』三森のぞみ訳、白水社、二〇〇四（一九九五）年

ジョルジョ・アガンベン『いと高き貧しさ——修道院規則と生の形式』上村忠男・太田綾子訳、みすず書房、二〇一四（二〇一一）年

エリック・A・ポズナー、E・グレン・ワイル『ラディカル・マーケット——脱・私有財産の世紀』安田洋祐監訳、遠藤真美訳、東洋経済新報社、二〇二〇（二〇一八）年

佐藤幸治『日本国憲法論［第二版］』成文堂、二〇二〇年

カズオ・イシグロ『クララとお日さま』土屋政雄訳、早川書房、二〇二一年

Frugoni, Chiara. *Vita di un uomo: Francesco d'Assisi.* Einaudi, 1995

Agamben, Giorgio. *Altissima povertà. Regole monastiche e forma di vita.* Neri Pozza, 2011

Agamben, Giorgio. Trans. Kotsko, Adam. *The Highest Poverty: Monastic Rules and Form-of-Life.* Stanford University Press; 1st edition, 2013 (2011)

이어령『생명이 자본이다』마로니에북스（李御寧『生命は資本だ』マロニエブックス）、二〇一四年 ＊日本語訳未刊

Posner, Eric A. E. & Weyl, Glen. *Radical Markets: Uprooting Capitalism and Democracy for a Just Society.* Princeton University Press, 2019 *first published in 2018

Piketty, Tomas. *Capital et idéologie.* Le Seuil, 2019

Piketty, Tomas. Trans. Goldhammer. Arthur. *Capital and Ideology.* The Belknap Press of Harvard University Press, 2020 (2019)

Ishiguro, Kazuo. *Klara and the Sun.* Knopf, 2021

本研究は、様々な学問分野の日本及び海外における先達、師、同僚、専門家による研究蓄積、示唆に多くを負っており、その一部を記載している。

また、内容の推敲過程で、本務校・非常勤先の大学・大学院で授業を受講してくれた、多様な学部学科専攻に所属する数多くの学生、留学生、そして、各種講演や公開シンポジウムに足を運んでいただいた方々、一人ひとりの存在が大きかった。

初出一覧

各章成立には、抜本的な加筆修正を行った。

Ⅰ 共有可能性と人

第一章 新テクノロジーによる人間観の分断

「ホモ・レリギオ——人工知能、合成生物学と揺れる信念の彼方」『現代宗教２０１９（特集）科学技術と宗教』国際宗教研究所編、二〇一九年二月

第二章 人の存在を問う——ハラリに応え、西田幾多郎と出会う

第一節、第二節

「パンデミック以降の共存と脅威——宗教、ヒューマニズム、新テクノロジー」『現代宗教２０２１（特集）宗教と感染症』国際宗教研究所編、二〇二一年二月

第三節

書き下ろし

第三章 動く関係性と共有可能性

書き下ろし

第四章 空海の祈求

「世界を照らすふるさとの太陽と月——空海のほんとうのことば」『水と緑のラブレター——名作のふるさと・四国』徳島県立文学書道館、二〇一二年八月

第五章 儒の学、最善を生かす知の実践

「挑戦的平和の「儒学」——李退渓と朋なる普遍性」『退渓學報』第一三六輯、社団法人・退渓學研究院、二〇一四年一二月（姜智恩韓国語訳も掲載）

第六章 賀川豊彦と協同組合（コオペラティブ）

「賀川豊彦、キョウドウの力」『宗教と現代がわかる本　２０１２』渡邊直樹責任編集、平凡社、二〇一二年三月

「大ベストセラー『死線を越えて』と〝東洋の使徒〟を生んだふるさとの海」『水と緑のラブレター——名作のふるさと・四国』徳島県立文学書道館、二〇一二年八月

Ⅱ 生なるコモンズと共有文化、共有文明

第七章 現代文明と共有可能性の危機

「つくられたものの超越性——存在を問い直す文化学と文明学」『比較文明（特集）モノから考え直す——比較文明学の哲学的前提』第三二号、

比較文明学会、行人社、二〇一六年一一月

第八章　持続可能性と共有可能性から、生なるコモンズへ

第一節第一項、第二項

「第一章 存在と時空 第三節 人の時空と五つの存在」『生なる死——よみがえる生命と文化の時空』ぷねうま舎、二〇二一年（「存在と時空」『未来哲学』第二号（未来哲学研究所・ぷねうま舎、二〇二一年五月）を抜本的に加筆修正し『生なる死』の第一章・第二章として掲載）

第一節第三項、第二節、第三節

書き下ろし

第九章　共有文化の創出と発見

第一節

書き下ろし

第二節、第三節

「共有文明とアジア」『第三回韓中日文化国際シンポジウム 新文明の軸——東北アジアの均衡と調和』韓中日比較文化研究所、二〇一一年三月、KYOBO Book Centre（李珦淑韓国語訳、孫健軍北京大学研究室中国語訳も掲載）

第十章　共有宗教文化

第一節、第二節

「共存のインターフェイス——共有宗教文化」『共存学2——災害後の人と文化、ゆらぐ世界』國學院大學研究開発推進センター・古沢広祐編、弘文堂、二〇一四年二月

「新文明の軸としての共有宗教文化」『地球システム・倫理学会会報』第九号、地球システム・倫理学会、二〇一四年九月

第三節

「あたたかい心の資本——ソーシャル・キャピタル創出の根源」『宗教と社会貢献』第三巻第一号、「宗教と社会貢献」研究会、大阪大学学術情報庫ＯＵＫＡ、二〇一三年四月

第十一章　共有文明と共有軸

「共有文明とアジア」前掲

「共有文明——共有性にもとづく新文明の考察」『比較文明（特集）自然の、自然による、自然のための文明をめざして』第二七号、比較文明学会、二〇一一年一一月

「共有文明——ともにたもつ文明のかたち」『収奪文明から環流文明へ』伊東俊太郎・染谷臣道編、東海大学出版会、二〇一二年一〇月

「文明の識別力——新しい文明を求める倫理」『地球システム・倫理学会　会報』第八号、地球システム・倫理学会、二〇一三年一〇月

第十二章　共有権——所有権世界を相対化する

第一節

「人工知能・アンドロイドと祈りのメタファー」日本宗教学会第八〇回学術大会・個人発表（関西大学、二〇二一年九月八日、『宗教研究』95巻別冊、日本宗教学会、二〇二二年三月、二四八－二四九頁）を元に書き下ろし

第二、三節

書き下ろし

こころのアンセム

この原稿を書いている間、新型コロナウイルスのパンデミックで、それまで定期的に会えていた恩師、友人、知人、国内外の家族に、まったく会えなくなってしまった。もちろんメールや電話、ＳＮＳはできる。仕事や用事は、Ｗｅｂ会議システムでかなり済ませられる。けれども、そばにいるという感覚は、どうしようもない。こころにある人が、どれほどわたしに実際に会えるとうれしいと思ってくれているのか、わからない。ただ、わたしのなかでは、会えないという現実が、いつの間にか、透明な重い石のように全身に載せられている感覚を覚えるようになった。

人に会えないのは何もコロナだけが原因ではない。個人的な事情のもつれ、生活状況の変化、病や死、経済、政治状況の悪化など社会情勢が、会いたい人との距離をつくり出す。それでも、コロナは、会えることのハードルを上げた。半年、一年、一年半、数年、そして、それ以上？　コロナがなければ会えていたかもしれない、無数の、会おう、をうばってしまった。

会うことの本質は、こころだけ、身体だけでもない、もっとトータルなものだろう。それを求めているからこそ、文字、声だけでも、画面越し、ガラス越しでも、わたしたちは想いを満たそうとする。そばにいるということには、様々な立場を越えて認め合える安心感、新たな世界にふれられる高揚感など、大切な感覚がとけ込んでいる。わたしたちは、会うことの意義深さを、まだまだ理解できていないのかもしれない。

無理に無理を重ねて、会う、を求めることはできる。代わりにＺｏｏｍにしたり、ＡＩやロボットを介してコミュニケーションしたりもできる。けれども、無理押しや最先端の技術は、なにげない自然さのなかに成立した「会う」ということの幸せ、思いがけず、吹いてきてくれたそよ風のような心地よさを実現できない。

コロナはそういう無数のそよ風をうばった。そうした喪失は、新たなさりげなさによってでしか、本当には埋められないのではないか。

自身がどのようにいることが、他なる存在にとって、良きことにつながるのか模索しながら、わたしたちは日々を過ごしている。何もしていないように見えても、こころは新しい景色を求めている。その生活や日常を、やさしい配慮の積み重ねが支えてくれている。

どのような闇からでも、新たなさりげなさは始まる。そんな出来事がありうると信じたい。だからこそ、「共有可能性」、「生なるコモンズ」という言葉で、その通路を開いておきたい。

本書に取り組む間、日本の恩師ご夫妻とも電話でお会いして、たくさんの示唆をいただいた。隣国の恩師は、病のなかインターネットのメッセージや通話の折、深い励ましをくださった。すべて、未来への示唆の宝庫で、一つひとつの学恩を自分なりに開花させていくことはこれからのチャレンジだ。

本書は、世界に開かれ、世界との関わりのなかで成り立っている。共有可能性という言葉には、対応する英語表現が不可欠だった。持続可能性と訳されているサステイナブル（sustainable）のように、コモナブル（commonable）という表現を使えないか、英語圏で活躍する、直接は会えない、信頼する友人たちに相談してみた。友人たちの意見は、ネイティブの感覚では意味とニュアンスが伝わらない、ということで一致していた。そこで、一語での表現を断念し、イギリス人でオックスフォード在住の研究者の友人の意見を受け入れることになった。

自分たちがとらわれている関係性の問題について、わたしたちは、うまく表現できる言葉や論を持たないことが多い。そのために、既存の言葉や論を無理やりたぐり寄せ、妥協して自分の気持ちや感情をゆだねてしまい、予期していなかった悲劇が生じる。無視や忘却によってでしか耐え得ない苦しみが、友情の破綻、失恋、仕事での信頼喪失、宗教や文化の壁、階層や国家間の衝突として、突然の波のように打ち寄せてくる。

けれども、関係性のあらゆるレベルには、それらの本質や出来事を表現するための、もっと適した言葉、論がありうるのではないか。人のもつ想像力の周辺で、それらは無形のままたゆたっており、わたしたちが既存の言葉、論を無理に当てはめず、こころを開いていることによって、現れてくるのではないか。

わたしたちには、これまでにない新たな言葉や論を、どこかで求め続ける、根源的な、深い想いのようなものがある。

わたしは、共有可能性の想像力とでもいうべき、人のこころの傾向性に惹かれている。そして、そのアウトラインを、手に入りうる学術的知見と直感を結集して、描き出してみたいと願った。

本書に取り組む以前から、空海、朱子、李退渓、賀川豊彦、フランチェスコとキアラ、また、仏陀、孔子、イエス等のゆかりの地として、日本、韓国、中国、インド、イタリアやギリシャをはじめヨーロッパ諸国、イスラエル、エジプト等の聖地を、自分の足で歩いてきた。その経験は叙述に反映されているだろう。

また、共有原理、共有文明の着想を初めてかたちにしたのは二〇一一年三月、広域東アジアにおける新文明の軸をテーマに北京大学で開催される国際シンポジウムに招かれ（大震災発生により同年秋に延期して実施された）、講演原稿を執筆したことにさかのぼる。

なぜ人が共有可能性の想像力をもつのか、その探求にも、生命・文化の進化論や脳科学のアプローチだけでは足りず、人文学の果たす役割が広がっている。まず何より、そういうこころの傾向や力を理論的、具体的に素描しておきたい。

こうして本書そのものが、共有可能性を求めるなかで出来上がってきた。

きっかけは、数年前、共有文明など私のいくつかの論考を読んで、一緒に本をつくりませんか、と編集者が声をかけてくれたことだ。そのときはまだ自分のなかで、一冊がまとまるビジョンが浮かんでいなかった。

この間、良質の書を世に出すもう一つの出版社から、「生なる死」をテーマにしたわたしの論考に目をとめられ、あたためて本をつくりませんか、と声がけをいただき、明確なビジョンを持つことができた。その過程で、いくつもの分野やテーマにわたっていた、これまでの原稿を見返すことになり、コモンズというわたしたちの生きる場を人文学の見地から見直すことを主題に、もう一つの本にまとまっていくのではと気づいた。

こうして、『生なる死』、『生なるコモンズ』の二冊が現れてきた。通貨・資本やコロナをメタファーとして分析した内容をも含む前書は、存在と時空について扱い、本書は、存在と存在の共有可能性について、動く関係性から、わたしたちに必要な世界観を切り拓こうとしている。

文章を書いても、本にまとまるとイメージをもってくれる人に出会えなければ、また、その提案に、編集、製作、広報など出版社の各部が同意し、協力が得られなければ、そして、装幀、組版、校閲など、直接には面会しない方々の力が加わらなければ、一冊にはならない。

本を世に出す諸条件の難しさに、何にこだわり、妥協するのがこの本として正しいことなのか、見えなくなることがあった。

そんなとき、この本がどのような成り立ちであるかをふりかえった。初のミーティングで、楽しみにしていますと背中を押してくださった社長、出版プロジェクトが難破しないよう、あたたかなこころを注いでくださった経験豊かな編集長、原稿の段々畑を、知のまなざしの輝く光で照らしてくださった編集者、終盤に差し掛かり、書の内と外に、独自の想像的構成の装いをくださったデザイナー、こうした邂逅（かいこう）とすべての人との関わりがなければ、この本は今のようにまとまってはこなかった。

この世とあの世をつないでくださる恩師の方々、新たな希望を語り合ってきた老若男女の友人たち、出版に携わってくれたすべての人びと、原稿の一番の並走者である伴侶、天と地の家族、そして、この本と出会い、手にしてくださる読者に、感謝の賛歌（アンセム）を捧げたい。

本書出版に関わってくださった方々

校正提言・韓国語表現　李珦淑　Hyangsug Lee
英語表現　ジョン・ロブレグリオ　John LoBreglio
イタリア語表現　インマヌエル・ダビデ ジリオ　Emanuele Davide Giglio
ブックデザイン　河村誠　Makoto Kawamura
編集　牧子優香　Yuka Makiko

（敬称略）

著者紹介
濱田 陽（はまだ よう）
1968年徳島生まれ、帝京大学文学部教授。京都大学人間・環境学博士。日本文化、比較宗教文化、文明論に取り組み、力強いやわらかさを有する人文学の可能性を切り拓く。
京都大学法学部卒、京都大学大学院人間・環境学研究科文化・地域環境学専攻。マギル大学宗教学部客員研究員、国際日本文化研究センター講師（文明研究プロジェクト担当）等を経て現職。法政大学国際日本学研究所客員所員、賀川豊彦記念松沢資料館客員研究員。
著書に『共存の哲学ー複数宗教からの思考形式』（弘文堂）、『日本十二支考ー文化の時空を生きる』（中央公論新社）、『生なる死ーよみがえる生命と文化の時空』（ぷねうま舎）。共著に『現代世界と宗教の課題ー宗教間対話と公共哲学』、分担執筆に『環境と文明』『宗教多元主義を学ぶ人のために』『収奪文明から環流文明へ』『문화로 읽는 십이지신 이야기（文化で読む十二支神物語）』、*A New Japan for the Twenty-First Century* ほか多数。

生なるコモンズ――共有可能性の世界

2022年 5月 5日　初版第1刷発行

著者――――濱田 陽
発行者――――神田 明
発行所――――株式会社 春秋社
〒101-0021 東京都千代田区外神田 2-18-6
03-3255-9611（営業）
03-3255-9614（編集）
振替 00180-6-24861
https://www.shunjusha.co.jp/
装幀者――――河村 誠
印刷製本――――萩原印刷 株式会社

ISBN978-4-393-32401-1 C0010
定価はカバー等に表示してあります。